Eduard Mörike

Gedichte

Auswahl und Nachwort von
Bernhard Zeller

Philipp Reclam jun. Stuttgart

Der Text folgt der Ausgabe der *Sämtlichen Werke*, auf Grund der Originaldrucke herausgegeben von Herbert G. Göpfert, München: Hanser, 1964. 5., neu durchgesehene Auflage 1976.

Umschlagabbildung: Eduard Mörike. Lithographie von Bonaventura Weiß, 1851.

Universal-Bibliothek Nr. 7661 [2]

Gesamtherstellung: Reclam, Ditzingen. Printed in Germany 1991

ISBN 3-15-007661-7

An einem Wintermorgen, vor Sonnenaufgang

O flaumenleichte Zeit der dunkeln Frühe!
Welch neue Welt bewegest du in mir?
Was ists, daß ich auf einmal nun in dir
Von sanfter Wollust meines Daseins glühe?

Einem Kristall gleicht meine Seele nun,
Den noch kein falscher Strahl des Lichts getroffen;
Zu fluten scheint mein Geist, er scheint zu ruhn,
Dem Eindruck naher Wunderkräfte offen,
Die aus dem klaren Gürtel blauer Luft
Zuletzt ein Zauberwort vor meine Sinne ruft.

Bei hellen Augen glaub ich doch zu schwanken;
Ich schließe sie, daß nicht der Traum entweiche.
Seh ich hinab in lichte Feenreiche?
Wer hat den bunten Schwarm von Bildern und Gedanken
Zur Pforte meines Herzens hergeladen,
Die glänzend sich in diesem Busen baden,
Goldfarbgen Fischlein gleich im Gartenteiche?

Ich höre bald der Hirtenflöten Klänge,
Wie um die Krippe jener Wundernacht,
Bald weinbekränzter Jugend Lustgesänge;
Wer hat das friedenselige Gedränge
In meine traurigen Wände hergebracht?

Und welch Gefühl entzückter Stärke,
Indem mein Sinn sich frisch zur Ferne lenkt!
Vom ersten Mark des heutgen Tags getränkt,
Fühl ich mir Mut zu jedem frommen Werke.
Die Seele fliegt, so weit der Himmel reicht,
Der Genius jauchzt in mir! Doch sage,
Warum wird jetzt der Blick von Wehmut feucht?
Ists ein verloren Glück, was mich erweicht?
Ist es ein werdendes, was ich im Herzen trage?

– Hinweg, mein Geist! hier gilt kein Stillestehn:
Es ist ein Augenblick, und Alles wird verwehn!

Dort, sieh, am Horizont lüpft sich der Vorhang schon!
Es träumt der Tag, nun sei die Nacht entflohn;
Die Purpurlippe, die geschlossen lag,
Haucht, halbgeöffnet, süße Atemzüge:
Auf einmal blitzt das Aug, und, wie ein Gott, der Tag
Beginnt im Sprung die königlichen Flüge!

Erinnerung

An C. N.

Jenes war zum letztenmale,
Daß ich mit dir ging, o Clärchen!
Ja, das war das letztemal,
Daß wir uns wie Kinder freuten.

Als wir eines Tages eilig
Durch die breiten, sonnenhellen,
Regnerischen Straßen, unter
Einem Schirm geborgen, liefen;
Beide heimlich eingeschlossen
Wie in einem Feenstübchen,
Endlich einmal Arm in Arme!

Wenig wagten wir zu reden,
Denn das Herz schlug zu gewaltig,
Beide merkten wir es schweigend,
Und ein jedes schob im stillen
Des Gesichtes glühnde Röte
Auf den Widerschein des Schirmes.
Ach, ein Engel warst du da!
Wie du auf den Boden immer

Blicktest, und die blonden Locken
Um den hellen Nacken fielen.

»Jetzt ist wohl ein Regenbogen
Hinter uns am Himmel«, sagt ich,
»Und die Wachtel dort im Fenster,
Deucht mir, schlägt noch eins so froh!«

Und im Weitergehen dacht ich
Unsrer ersten Jugendspiele,
Dachte an dein heimatliches
Dorf und seine tausend Freuden.
– »Weißt du auch noch«, frug ich dich,
»Nachbar Büttnermeisters Höfchen,
Wo die großen Kufen lagen,
Drin wir sonntags nach Mittag uns
Immer häuslich niederließen,
Plauderten, Geschichten lasen,
Während drüben in der Kirche
Kinderlehre war – (ich höre
Heute noch den Ton der Orgel
Durch die Stille ringsumher):
Sage, lesen wir nicht einmal
Wieder wie zu jenen Zeiten
– Just nicht in der Kufe, mein ich –
Den beliebten Robinson?«

Und du lächeltest und bogest
Mit mir um die letzte Ecke.
Und ich bat dich um ein Röschen,
Das du an der Brust getragen,
Und mit scheuen Augen schnelle
Reichtest du mirs hin im Gehen:
Zitternd hob ichs an die Lippen,
Küßt es brünstig zwei- und dreimal;
Niemand konnte dessen spotten,
Keine Seele hats gesehen,
Und du selber sahst es nicht.

An dem fremden Haus, wohin
Ich dich zu begleiten hatte,
Standen wir nun, weißt, ich drückte
Dir die Hand und –

Dieses war zum letztenmale,
Daß ich mit dir ging, o Clärchen!
Ja, das war das letztemal,
Daß wir uns wie Kinder freuten.

Nächtliche Fahrt

Jüngst im Traum ward ich getragen
Über fremdes Heideland;
Vor den halbverschloßnen Wagen
Schien ein Trauerzug gespannt.

Dann durch mondbeglänzte Wälder
Ging die sonderbare Fahrt,
Bis der Anblick offner Felder
Endlich mir bekannter ward.

Wie im lustigen Gewimmel
Tanzt nun Busch und Baum vorbei!
Und ein Dorf nun – guter Himmel!
O mir ahnet, was es sei.

Sah ich doch vor Zeiten gerne
Diese Häuser oft und viel,
Die am Wagen die Laterne
Streift im stummen Schattenspiel.

Ja, dort unterm Giebeldache
Schlummerst du, vergeßlich Herz!
Und daß dein Getreuer wache,
Sagt dir kein geheimer Schmerz.

– Ferne waren schon die Hütten;
Sieh, da flatterts durch den Wind!
Eine Gabe zu erbitten
Schien ein armes, holdes Kind.

Wie vom bösen Geist getrieben,
Werf ich rasch der Bettlerin
Ein Geschenk von meiner Lieben,
Jene goldne Kette, hin.

Plötzlich scheint ein Rad gebunden,
Und der Wagen steht gebannt,
Und das schöne Mädchen unten
Hält mich schelmisch bei der Hand.

»Denkt man so damit zu schalten?
So entdeck ich den Betrug?
Doch den Wagen festzuhalten,
War die Kette stark genug.

Willst du, daß ich dir verzeihe,
Sei erst selber wieder gut!
Oder wo ist deine Treue,
Böser Junge, falsches Blut?«

Und sie streichelt mir die Wange,
Küßt mir das erfrorne Kinn,
Steht und lächelt, weinet lange
Als die schönste Büßerin.

Doch mir bleibt der Mund verschlossen,
Und kaum weiß ich, was geschehn;
Ganz in ihren Arm gegossen
Schien ich selig zu vergehn.

Und nun fliegt mit uns, ihr Pferde,
In die graue Welt hinein!

Unter uns vergeh die Erde,
Und kein Morgen soll mehr sein!

Der Knabe und das Immlein

Im Weinberg auf der Höhe
Ein Häuslein steht so windebang;
Hat weder Tür noch Fenster,
Die Weile wird ihm lang.

Und ist der Tag so schwüle,
Sind all verstummt die Vögelein,
Summt an der Sonnenblume
Ein Immlein ganz allein.

Mein Lieb hat einen Garten,
Da steht ein hübsches Immenhaus:
Kommst du daher geflogen?
Schickt sie dich nach mir aus?

»O nein, du feiner Knabe,
Es hieß mich niemand Boten gehn;
Dies Kind weiß nichts von Lieben,
Hat dich noch kaum gesehn.

Was wüßten auch die Mädchen,
Wenn sie kaum aus der Schule sind!
Dein herzallerliebstes Schätzchen
Ist noch ein Mutterkind.

Ich bring ihm Wachs und Honig;
Ade! – ich hab ein ganzes Pfund;
Wie wird das Schätzchen lachen,
Ihm wässert schon der Mund.«

Ach, wolltest du ihr sagen,
Ich wüßte, was viel süßer ist:
Nichts Lieblichers auf Erden
Als wenn man herzt und küßt!

Rat einer Alten

Bin jung gewesen,
Kann auch mitreden,
Und alt geworden,
Drum gilt mein Wort.

Schön reife Beeren
Am Bäumchen hangen:
Nachbar, da hilft kein
Zaun um den Garten;
Lustige Vögel
Wissen den Weg.

Aber, mein Dirnchen,
Du laß dir raten:
Halte dein Schätzchen
Wohl in der Liebe,
Wohl im Respekt!

Mit den zwei Fädlein
In eins gedrehet,
Ziehst du am kleinen
Finger ihn nach.

Aufrichtig Herze,
Doch schweigen können,
Früh mit der Sonne
Mutig zur Arbeit,
Gesunde Glieder,

Saubere Linnen,
Das machet Mädchen
Und Weibchen wert.

Bin jung gewesen,
Kann auch mitreden,
Und alt geworden,
Drum gilt mein Wort.

Begegnung

Was doch heut nacht ein Sturm gewesen,
Bis erst der Morgen sich geregt!
Wie hat der ungebetne Besen
Kamin und Gassen ausgefegt!

Da kommt ein Mädchen schon die Straßen,
Das halb verschüchtert um sich sieht;
Wie Rosen, die der Wind zerblasen,
So unstet ihr Gesichtchen glüht.

Ein schöner Bursch tritt ihr entgegen,
Er will ihr voll Entzücken nahn:
Wie sehn sich freudig und verlegen
Die ungewohnten Schelme an!

Er scheint zu fragen, ob das Liebchen
Die Zöpfe schon zurecht gemacht,
Die heute Nacht im offnen Stübchen
Ein Sturm in Unordnung gebracht.

Der Bursche träumt noch von den Küssen,
Die ihm das süße Kind getauscht,
Er steht, von Anmut hingerissen,
Derweil sie um die Ecke rauscht.

Der Jäger

Drei Tage Regen fort und fort,
Kein Sonnenschein zur Stunde;
Drei Tage lang kein gutes Wort
Aus meiner Liebsten Munde!

Sie trutzt mit mir und ich mit ihr,
So hat sie's haben wollen;
Mir aber nagts am Herzen hier,
Das Schmollen und das Grollen.

Willkommen denn, des Jägers Lust,
Gewittersturm und Regen!
Fest zugeknöpft die heiße Brust,
Und jauchzend euch entgegen!

Nun sitzt sie wohl daheim und lacht
Und scherzt mit den Geschwistern;
Ich höre in des Waldes Nacht
Die alten Blätter flüstern.

Nun sitzt sie wohl und weinet laut
Im Kämmerlein, in Sorgen;
Mir ist es wie dem Wilde traut,
In Finsternis geborgen.

Kein Hirsch und Rehlein überall!
Ein Schuß zum Zeitvertreibe!
Gesunder Knall und Widerhall
Erfrischt das Mark im Leibe. –

Doch wie der Donner nun verhallt
In Tälern, durch die Runde,
Ein plötzlich Weh mich überwallt,
Mir sinkt das Herz zu Grunde.

Sie trutzt mit mir und ich mit ihr,
So hat sie's haben wollen,
Mir aber frißts am Herzen hier,
Das Schmollen und das Grollen.

Und auf! und nach der Liebsten Haus!
Und sie gefaßt ums Mieder!
»Drück mir die nassen Locken aus,
Und küß und hab mich wieder!«

Jägerlied

Zierlich ist des Vogels Tritt im Schnee,
Wenn er wandelt auf des Berges Höh:
Zierlicher schreibt Liebchens liebe Hand,
Schreibt ein Brieflein mir in ferne Land'.

In die Lüfte hoch ein Reiher steigt,
Dahin weder Pfeil noch Kugel fleugt:
Tausendmal so hoch und so geschwind
Die Gedanken treuer Liebe sind.

Ein Stündlein wohl vor Tag

Derweil ich schlafend lag,
Ein Stündlein wohl vor Tag,
Sang vor dem Fenster auf dem Baum
Ein Schwälblein mir, ich hört es kaum,
Ein Stündlein wohl vor Tag:

»Hör an, was ich dir sag!
Dein Schätzlein ich verklag:
Derweil ich dieses singen tu,

Herzt er ein Lieb in guter Ruh,
Ein Stündlein wohl vor Tag.«

O weh, nicht weiter sag!
O still, nichts hören mag!
Flieg ab, flieg ab von meinem Baum!
– Ach, Lieb und Treu ist wie ein Traum
Ein Stündlein wohl vor Tag.

Storchenbotschaft

Des Schäfers sein Haus und das steht auf zwei Rad,
Steht hoch auf der Heiden, so frühe, wie spat;
Und wenn nur ein mancher so'n Nachtquartier hätt!
Ein Schäfer tauscht nicht mit dem König sein Bett.

Und käm ihm zu Nacht auch was Seltsames vor,
Er betet sein Sprüchel und legt sich aufs Ohr;
Ein Geistlein, ein Hexlein, so lustige Wicht,
Sie klopfen ihm wohl, doch er antwortet nicht.

Einmal doch, da ward es ihm wirklich zu bunt:
Es knopert am Laden, es winselt der Hund;
Nun ziehet mein Schäfer den Riegel – ei schau!
Da stehen zwei Störche, der Mann und die Frau.

Das Pärchen, es machet ein schön Kompliment,
Es möchte gern reden, ach, wenn es nur könnt!
Was will mir das Ziefer? – ist so was erhört?
Doch ist mir wohl fröhliche Botschaft beschert.

Ihr seid wohl dahinten zu Hause am Rhein?
Ihr habt wohl mein Mädel gebissen ins Bein?
Nun weinet das Kind und die Mutter noch mehr,
Sie wünschet den Herzallerliebsten sich her?

Und wünschet daneben die Taufe bestellt:
Ein Lämmlein, ein Würstlein, ein Beutelein Geld?
So sagt nur, ich käm in zwei Tag' oder drei,
Und grüßt mir mein Bübel und rührt ihm den Brei!

Doch halt! warum stellt ihr zu zweien euch ein?
Es werden doch, hoff' ich, nicht Zwillinge sein? –
Da klappern die Störche im lustigsten Ton,
Sie nicken und knicksen und fliegen davon.

Suschens Vogel

Ich hatt ein Vöglein, ach wie fein!
Kein schöners mag wohl nimmer sein:

Hätt auf der Brust ein Herzlein rot,
Und sung und sung sich schier zu Tod.

Herzvogel mein, du Vogel schön,
Nun sollt du mit zu Markte gehn! –

Und als ich in das Städtlein kam,
Er saß auf meiner Achsel zahm;

Und als ich ging am Haus vorbei
Des Knaben, dem ich brach die Treu,

Der Knab just aus dem Fenster sah,
Mit seinem Finger schnalzt er da:

Wie horchet gleich mein Vogel auf!
Zum Knaben fliegt er husch! hinauf;

Der koset ihn so lieb und hold,
Ich wußt nicht, was ich machen sollt,

Und stund, im Herzen so erschreckt,
Mit Händen mein Gesichte deckt',

Und schlich davon und weinet' sehr,
Ich hört ihn rufen hinterher:

»Du falsche Maid, behüt dich Gott,
Ich hab doch wieder mein Herzlein rot!«

In der Frühe

Kein Schlaf noch kühlt das Auge mir,
Dort gehet schon der Tag herfür
An meinem Kammerfenster.
Es wühlet mein verstörter Sinn
Noch zwischen Zweifeln her und hin
Und schaffet Nachtgespenster.
– Ängste, quäle
Dich nicht länger, meine Seele!
Freu dich! schon sind da und dorten
Morgenglocken wach geworden.

Er ists

Frühling läßt sein blaues Band
Wieder flattern durch die Lüfte;
Süße, wohlbekannte Düfte
Streifen ahnungsvoll das Land.
Veilchen träumen schon,
Wollen balde kommen.
– Horch, von fern ein leiser Harfenton!
Frühling, ja du bists!
Dich hab ich vernommen!

Im Frühling

Hier lieg ich auf dem Frühlingshügel:
Die Wolke wird mein Flügel,
Ein Vogel fliegt mir voraus.
Ach, sag mir, all-einzige Liebe,
Wo *du* bleibst, daß ich bei dir bliebe!
Doch du und die Lüfte, ihr habt kein Haus.

Der Sonnenblume gleich steht mein Gemüte offen,
Sehnend,
Sich dehnend
In Lieben und Hoffen.
Frühling, was bist du gewillt?
Wann werd ich gestillt?

Die Wolke seh ich wandeln und den Fluß,
Es dringt der Sonne goldner Kuß
Mir tief bis ins Geblüt hinein;
Die Augen, wunderbar berauschet,
Tun, als schliefen sie ein,
Nur noch das Ohr dem Ton der Biene lauschet.
Ich denke dies und denke das,
Ich sehne mich, und weiß nicht recht, nach was:
Halb ist es Lust, halb ist es Klage;
Mein Herz, o sage,
Was webst du für Erinnerung
In golden grüner Zweige Dämmerung?
– Alte unnennbare Tage!

Erstes Liebeslied eines Mädchens

Was im Netze? Schau einmal!
Aber ich bin bange;
Greif ich einen süßen Aal?
Greif ich eine Schlange?

Lieb ist blinde
Fischerin;
Sagt dem Kinde,
Wo greifts hin?

Schon schnellt mirs in Händen!
Ach Jammer! o Lust!
Mit Schmiegen und Wenden
Mir schlüpfts an die Brust.

Es beißt sich, o Wunder!
Mir keck durch die Haut,
Schießt 's Herze hinunter!
O Liebe, mir graut!

Was tun, was beginnen?
Das schaurige Ding,
Es schnalzet da drinnen,
Es legt sich im Ring.

Gift muß ich haben!
Hier schleicht es herum,
Tut wonniglich graben
Und bringt mich noch um!

Fußreise

Am frischgeschnittnen Wanderstab
Wenn ich in der Frühe
So durch Wälder ziehe,
Hügel auf und ab:
Dann, wie's Vögelein im Laube
Singet und sich rührt,
Oder wie die goldne Traube
Wonnegeister spürt

In der ersten Morgensonne:
So fühlt auch mein alter, lieber
Adam Herbst- und Frühlingsfieber,
Gottbeherzte,
Nie verscherzte
Erstlings-Paradieseswonne.

Also bist du nicht so schlimm, o alter
Adam, wie die strengen Lehrer sagen;
Liebst und lobst du immer doch,
Singst und preisest immer noch,
Wie an ewig neuen Schöpfungstagen,
Deinen lieben Schöpfer und Erhalter.

Möcht es dieser geben,
Und mein ganzes Leben
Wär im leichten Wanderschweiße
Eine solche Morgenreise!

Besuch in Urach

Nur fast so wie im Traum ist mirs geschehen,
Daß ich in dies geliebte Tal verirrt.
Kein Wunder ist, was meine Augen sehen,
Doch schwankt der Boden, Luft und Staude schwirrt,
Aus tausend grünen Spiegeln scheint zu gehen
Vergangne Zeit, die lächelnd mich verwirrt;
Die Wahrheit selber wird hier zum Gedichte,
Mein eigen Bild ein fremd und hold Gesichte!

Da seid ihr alle wieder aufgerichtet,
Besonnte Felsen, alte Wolkenstühle!
Auf Wäldern schwer, wo kaum der Mittag lichtet
Und Schatten mischt mit balsamreicher Schwüle.
Kennt ihr mich noch, der sonst hieher geflüchtet,

Im Moose, bei süß-schläferndem Gefühle,
Der Mücke Sumsen hier ein Ohr geliehen,
Ach, kennt ihr mich, und wollt nicht vor mir fliehen?

Hier wird ein Strauch, ein jeder Halm zur Schlinge,
Die mich in liebliche Betrachtung fängt;
Kein Mäuerchen, kein Holz ist so geringe,
Daß nicht mein Blick voll Wehmut an ihm hängt:
Ein jedes spricht mir halbvergeßne Dinge;
Ich fühle, wie von Schmerz und Lust gedrängt
Die Träne stockt, indes ich ohne Weile,
Unschlüssig, satt und durstig, weiter eile.

Hinweg! und leite mich, du Schar von Quellen,
Die ihr durchspielt der Matten grünes Gold!
Zeigt mir die ur-bemoosten Wasserzellen,
Aus denen euer ewigs Leben rollt,
Im kühnsten Walde die verwachsnen Schwellen,
Wo eurer Mutter Kraft im Berge grollt,
Bis sie im breiten Schwung an Felsenwänden
Herabstürzt, euch im Tale zu versenden.

O hier ists, wo Natur den Schleier reißt!
Sie bricht einmal ihr übermenschlich Schweigen;
Laut mit sich selber redend will ihr Geist,
Sich selbst vernehmend, sich ihm selber zeigen.
– Doch ach, sie bleibt, mehr als der Mensch, verwaist,
Darf nicht aus ihrem eignen Rätsel steigen!
Dir biet ich denn, begierge Wassersäule,
Die nackte Brust, ach, ob sie dir sich teile!

Vergebens! und dein kühles Element
Tropft an mir ab, im Grase zu versinken.
Was ists, das deine Seele von mir trennt?
Sie flieht, und möcht ich auch in dir ertrinken!
Dich kränkts nicht, wie mein Herz um dich entbrennt,
Küssest im Sturz nur diese schroffen Zinken;

Du bleibest, was du warst seit Tag und Jahren,
Ohn ein'gen Schmerz der Zeiten zu erfahren.

Hinweg aus diesem üppgen Schattengrund
Voll großer Pracht, die drückend mich erschüttert!
Bald grüßt beruhigt mein verstummter Mund
Den schlichten Winkel, wo sonst halb verwittert
Die kleine Bank und wo das Hüttchen stund;
Erinnrung reicht mit Lächeln die verbittert
Bis zur Betäubung süßen Zauberschalen;
So trink ich gierig die entzückten Qualen.

Hier schlang sich tausendmal ein junger Arm
Um meinen Hals mit inngem Wohlgefallen.
O säh ich mich, als Knaben sonder Harm,
Wie einst, mit Necken durch die Haine wallen!
Ihr Hügel, von der *alten* Sonne warm,
Erscheint mir denn auf keinem von euch allen
Mein Ebenbild, in jugendlicher Frische
Hervorgesprungen aus dem Waldgebüsche?

O komm, enthülle dich! dann sollst du mir
Mit Freundlichkeit ins dunkle Auge schauen!
Noch immer, guter Knabe, gleich ich dir,
Uns beiden wird nicht voreinander grauen!
So komm und laß mich unaufhaltsam hier
Mich deinem reinen Busen anvertrauen! –
Umsonst, daß ich die Arme nach dir strecke,
Den Boden, wo du gingst, mit Küssen decke!

Hier will ich denn laut schluchzend liegen bleiben,
Fühllos, und alles habe seinen Lauf! –
Mein Finger, matt, ins Gras beginnt zu schreiben:
Hin ist die Lust! hab alles seinen Lauf!
Da, plötzlich, hör ichs durch die Lüfte treiben,
Und ein entfernter Donner schreckt mich auf;
Elastisch angespannt mein ganzes Wesen
Ist von Gewitterluft wie neu genesen.

Sieh! wie die Wolken finstre Ballen schließen
Um den ehrwürdgen Trotz der Burgruine!
Von weitem schon hört man den alten Riesen,
Stumm harrt das Tal mit ungewisser Miene,
Der Kuckuck nur ruft sein einförmig Grüßen
Versteckt aus unerforschter Wildnis Grüne, –
Jetzt kracht die Wölbung, und verhallet lange,
Das wundervolle Schauspiel ist im Gange!

Ja nun, indes mit hoher Feuerhelle
Der Blitz die Stirn und Wange mir verklärt,
Ruf ich den lauten Segen in die grelle
Musik des Donners, die mein Wort bewährt:
O Tal! du meines Lebens andre Schwelle!
Du meiner tiefsten Kräfte stiller Herd!
Du meiner Liebe Wundernest! ich scheide,
Leb wohl! – und sei dein Engel mein Geleite!

An eine Äolsharfe

Tu semper urges flebilibus modis
Mysten ademptum: nec tibi Vespero
Surgente decedunt amores,
Nec rapidum fugiente Solem.
Horaz

Angelehnt an die Efeuwand
Dieser alten Terrasse,
Du, einer luftgebornen Muse
Geheimnisvolles Saitenspiel,
Fang an,
Fange wieder an
Deine melodische Klage!

Ihr kommet, Winde, fern herüber,
Ach! von des Knaben,

Der mir so lieb war,
Frisch grünendem Hügel.
Und Frühlingsblüten unterweges streifend,
Übersättigt mit Wohlgerüchen,
Wie süß bedrängt ihr dies Herz!
Und säuselt her in die Saiten,
Angezogen von wohllautender Wehmut,
Wachsend im Zug meiner Sehnsucht,
Und hinsterbend wieder.

Aber auf einmal,
Wie der Wind heftiger herstößt,
Ein holder Schrei der Harfe
Wiederholt, mir zu süßem Erschrecken,
Meiner Seele plötzliche Regung;
Und hier – die volle Rose streut, geschüttelt,
All ihre Blätter vor meine Füße!

Mein Fluß

O Fluß, mein Fluß im Morgenstrahl!
Empfange nun, empfange
Den sehnsuchtsvollen Leib einmal,
Und küsse Brust und Wange!
– Er fühlt mir schon herauf die Brust,
Er kühlt mit Liebesschauerlust
Und jauchzendem Gesange.

Es schlüpft der goldne Sonnenschein
In Tropfen an mir nieder,
Die Woge wieget aus und ein
Die hingegebnen Glieder;
Die Arme hab ich ausgespannt,
Sie kommt auf mich herzu gerannt,
Sie faßt und läßt mich wieder.

Du murmelst so, mein Fluß, warum?
Du trägst seit alten Tagen
Ein seltsam Märchen mit dir um,
Und mühst dich, es zu sagen;
Du eilst so sehr und läufst so sehr,
Als müßtest du im Land umher,
Man weiß nicht wen, drum fragen.

Der Himmel, blau und kinderrein,
Worin die Wellen singen,
Der Himmel ist die Seele dein:
O laß mich ihn durchdringen!
Ich tauche mich mit Geist und Sinn
Durch die vertiefte Bläue hin,
Und kann sie nicht erschwingen!

Was ist so tief, so tief wie sie?
Die Liebe nur alleine.
Sie wird nicht satt und sättigt nie
Mit ihrem Wechselscheine.
– Schwill an, mein Fluß, und hebe dich!
Mit Grausen übergieße mich!
Mein Leben um das deine!

Du weisest schmeichelnd mich zurück
Zu deiner Blumenschwelle.
So trage denn allein dein Glück,
Und wieg auf deiner Welle
Der Sonne Pracht, des Mondes Ruh:
Nach tausend Irren kehrest du
Zur ewgen Mutterquelle!

Josephine

Das Hochamt war. Der Morgensonne Blick
Glomm wunderbar im süßen Weihrauchscheine;

Der Priester schwieg; nun brauste die Musik
Vom Chor herab zur Tiefe der Gemeine.
So stürzt ein sonnetrunkner Aar
Vom Himmel sich mit herrlichem Gefieder,
So läßt Jehovens Mantel unsichtbar
Sich stürmend aus den Wolken nieder.

Dazwischen hört ich eine Stimme wehen,
Die sanft den Sturm der Chöre unterbrach;
Sie schmiegte sich mit schwesterlichem Flehen
Dem süß verwandten Ton der Flöte nach.

Wer ists, der diese Himmelsklänge schickt?
Das Mädchen dort, das so bescheiden blickt.
Ich eile sachte auf die Galerie;
Zwar klopft mein Herz, doch tret ich hinter sie.

Hier konnt ich denn in unschuldsvoller Lust
Mit leiser Hand ihr festlich Kleid berühren,
Ich konnte still, ihr selber unbewußt,
Die nahe Regung ihres Wesens spüren.

Doch, welch ein Blick und welche Miene,
Als ich das Wort nun endlich nahm,
Und nun der Name Josephine
Mir herzlich auf die Lippen kam!
Welch zages Spiel die braunen Augen hatten!
Wie barg sich unterm tiefgesenkten Schatten
Der Wimper gern die ros'ge Scham!

Und wie der Mund, der eben im Gesang
Die Gottheit noch auf seiner Schwelle hegte,
Sich von der Töne heilgem Überschwang
Zu mir mit schlichter Rede herbewegte!

O dieser Ton – ich fühlt es nur zu bald,
Schlich sich ins Herz und macht' es tief erkranken;

Ich stehe wie ein Träumer in Gedanken,
Indes die Orgel nun verhallt,
Die Sängerin vorüberwallt,
Die Kirche aufbricht und die Kerzen wanken.

Frage und Antwort

Fragst du mich, woher die bange
Liebe mir zum Herzen kam,
Und warum ich ihr nicht lange
Schon den bittern Stachel nahm?

Sprich, warum mit Geisterschnelle
Wohl der Wind die Flügel rührt,
Und woher die süße Quelle
Die verborgnen Wasser führt?

Banne du auf seiner Fährte
Mir den Wind in vollem Lauf!
Halte mit der Zaubergerte
Du die süßen Quellen auf!

Lebe wohl

»Lebe wohl« – Du fühlest nicht,
Was es heißt, dies Wort der Schmerzen;
Mit getrostem Angesicht
Sagtest du's und leichtem Herzen.

Lebe wohl! – Ach tausendmal
Hab ich mir es vorgesprochen,
Und in nimmersatter Qual
Mir das Herz damit gebrochen!

Heimweh

Anders wird die Welt mit jedem Schritt,
Den ich weiter von der Liebsten mache;
Mein Herz, das will nicht weiter mit.
Hier scheint die Sonne kalt ins Land,
Hier deucht mir alles unbekannt,
Sogar die Blumen am Bache!
Hat jede Sache
So fremd eine Miene, so falsch ein Gesicht.
Das Bächlein murmelt wohl und spricht:
Armer Knabe, komm bei mir vorüber,
Siehst auch hier Vergißmeinnicht!
– Ja, die sind schön an jedem Ort,
Aber nicht wie dort.
Fort, nur fort!
Die Augen gehn mir über!

Gesang zu Zweien in der Nacht

Sie: Wie süß der Nachtwind nun die Wiese streift,
Und klingend jetzt den jungen Hain durchläuft!
Da noch der freche Tag verstummt,
Hört man der Erdenkräfte flüsterndes Gedränge,
Das aufwärts in die zärtlichen Gesänge
Der reingestimmten Lüfte summt.

Er: Vernehm ich doch die wunderbarsten Stimmen,
Vom lauen Wind wollüstig hingeschleift,
Indes, mit ungewissem Licht gestreift,
Der Himmel selber scheinet hinzuschwimmen.

Sie: Wie ein Gewebe zuckt die Luft manchmal,
Durchsichtiger und heller aufzuwehen;
Dazwischen hört man weiche Töne gehen

Von selgen Feen, die im blauen Saal
Zum Sphärenklang,
Und fleißig mit Gesang,
Silberne Spindeln hin und wieder drehen.

Er: O holde Nacht, du gehst mit leisem Tritt
Auf schwarzem Samt, der nur am Tage grünet,
Und luftig schwirrender Musik bedienet
Sich nun dein Fuß zum leichten Schritt,
Womit du Stund um Stunde missest,
Dich lieblich in dir selbst vergissest –
Du schwärmst, es schwärmt der Schöpfung Seele mit!

Die traurige Krönung

Es war ein König Milesint,
Von dem will ich euch sagen:
Der meuchelte sein Bruderskind,
Wollte selbst die Krone tragen.
Die Krönung ward mit Prangen
Auf Liffey-Schloß begangen.
O Irland! Irland! warest du so blind?

Der König sitzt um Mitternacht
Im leeren Marmorsaale,
Sieht irr in all die neue Pracht,
Wie trunken von dem Mahle;
Er spricht zu seinem Sohne:
»Noch einmal bring die Krone!
Doch schau, wer hat die Pforten aufgemacht?«

Da kommt ein seltsam Totenspiel,
Ein Zug mit leisen Tritten,
Vermummte Gäste groß und viel,
Eine Krone schwankt in Mitten;

Es drängt sich durch die Pforte
Mit Flüstern ohne Worte;
Dem Könige, dem wird so geisterschwül.

Und aus der schwarzen Menge blickt
Ein Kind mit frischer Wunde;
Es lächelt sterbensweh und nickt,
Es macht im Saal die Runde,
Es trippelt zu dem Throne,
Es reichet eine Krone
Dem Könige, des Herze tief erschrickt.

Darauf der Zug von dannen strich,
Von Morgenluft berauschet,
Die Kerzen flackern wunderlich,
Der Mond am Fenster lauschet;
Der Sohn mit Angst und Schweigen
Zum Vater tät sich neigen, –
Er neiget über eine Leiche sich.

Jung Volkers Lied

Und die mich trug in Mutterleib,
Und die mich schwang im Kissen,
Die war ein schön frech braunes Weib,
Wollte nichts vom Mannsvolk wissen.

Sie scherzte nur und lachte laut,
Und ließ die Freier stehen:
Möcht lieber sein des Windes Braut,
Denn in die Ehe gehen!

Da kam der Wind, da nahm der Wind
Als Buhle sie gefangen:
Von dem hat sie ein lustig Kind
In ihren Schoß empfangen.

Nimmersatte Liebe

So ist die Lieb! So ist die Lieb!
Mit Küssen nicht zu stillen:
Wer ist der Tor und will ein Sieb
Mit eitel Wasser füllen?
Und schöpfst du an die tausend Jahr,
Und küssest ewig, ewig gar,
Du tust ihr nie zu Willen.

Die Lieb, die Lieb hat alle Stund
Neu wunderlich Gelüsten;
Wir bissen uns die Lippen wund,
Da wir uns heute küßten.
Das Mädchen hielt in guter Ruh,
Wie's Lämmlein unterm Messer;
Ihr Auge bat: nur immer zu,
Je weher, desto besser!

So ist die Lieb, und war auch so,
Wie lang es Liebe gibt,
Und anders war Herr Salomo,
Der Weise, nicht verliebt.

Der Gärtner

Auf ihrem Leibrößlein,
So weiß wie der Schnee,
Die schönste Prinzessin
Reit't durch die Allee.

Der Weg, den das Rößlein
Hintanzet so hold,
Der Sand, den ich streute,
Er blinket wie Gold.

Du rosenfarbs Hütlein,
Wohl auf und wohl ab,
O wirf eine Feder
Verstohlen herab!

Und willst du dagegen
Eine Blüte von mir,
Nimm tausend für *eine*,
Nimm alle dafür!

Schön-Rohtraut

Wie heißt König Ringangs Töchterlein?
  Rohtraut, Schön-Rohtraut.
Was tut sie denn den ganzen Tag,
Da sie wohl nicht spinnen und nähen mag?
  Tut fischen und jagen.
O daß ich doch ihr Jäger wär!
Fischen und jagen freute mich sehr.
  – Schweig stille, mein Herze!

Und über eine kleine Weil,
  Rohtraut, Schön-Rohtraut,
So dient der Knab auf Ringangs Schloß
In Jägertracht und hat ein Roß,
  Mit Rohtraut zu jagen.
O daß ich doch ein Königssohn wär!
Rohtraut, Schön-Rohtraut lieb ich so sehr.
  – Schweig stille, mein Herze!

Einsmals sie ruhten am Eichenbaum,
  Da lacht Schön-Rohtraut:
Was siehst mich an so wunniglich?
Wenn du das Herz hast, küsse mich!
  Ach! erschrak der Knabe!

Doch denket er: mir ists vergunnt,
Und küsset Schön-Rohtraut auf den Mund.
  – Schweig stille, mein Herze!

Darauf sie ritten schweigend heim,
  Rohtraut, Schön-Rohtraut;
Es jauchzt der Knab in seinem Sinn:
Und würdst du heute Kaiserin,
  Mich sollts nicht kränken:
Ihr tausend Blätter im Walde wißt,
Ich hab Schön-Rohtrauts Mund geküßt!
  – Schweig stille, mein Herze!

Lied vom Winde

Sausewind, Brausewind!
Dort und hier!
Deine Heimat sage mir!

»Kindlein, wir fahren
Seit viel vielen Jahren
Durch die weit weite Welt,
Und möchtens erfragen,
Die Antwort erjagen,
Bei den Bergen, den Meeren,
Bei des Himmels klingenden Heeren,
Die wissen es nie.
Bist du klüger als sie,
Magst du es sagen.
– Fort, wohlauf!
Halt uns nicht auf!
Kommen andre nach, unsre Brüder,
Da frag wieder.«

Halt an! Gemach,
Eine kleine Frist!

Sagt, wo der Liebe Heimat ist,
Ihr Anfang, ihr Ende?

»Wers nennen könnte!
Schelmisches Kind,
Lieb ist wie Wind,
Rasch und lebendig,
Ruhet nie,
Ewig ist sie,
Aber nicht immer beständig.
– Fort! Wohlauf! auf!
Halt uns nicht auf!
Fort über Stoppel, und Wälder, und Wiesen!
Wenn ich dein Schätzchen seh,
Will ich es grüßen.
Kindlein, ade!«

Das verlassene Mägdlein

Früh, wann die Hähne krähn,
Eh die Sternlein verschwinden,
Muß ich am Herde stehn,
Muß Feuer zünden.

Schön ist der Flammen Schein,
Es springen die Funken;
Ich schaue so drein,
In Leid versunken.

Plötzlich, da kommt es mir,
Treuloser Knabe,
Daß ich die Nacht von dir
Geträumet habe.

Träne auf Träne dann
Stürzet hernieder;
So kommt der Tag heran –
O ging er wieder!

Agnes

Rosenzeit! Wie schnell vorbei,
Schnell vorbei
Bist du doch gegangen!
Wär mein Lieb nur blieben treu,
Blieben treu,
Sollte mir nicht bangen.

Um die Ernte wohlgemut,
Wohlgemut
Schnitterinnen singen.
Aber, ach! mir kranken Blut,
Mir kranken Blut
Will nichts mehr gelingen.

Schleiche so durchs Wiesental,
So durchs Tal,
Als im Traum verloren,
Nach dem Berg, da tausendmal,
Tausendmal
Er mir Treu geschworen.

Oben auf des Hügels Rand,
Abgewandt,
Wein ich bei der Linde;
An dem Hut mein Rosenband,
Von seiner Hand,
Spielet in dem Winde.

Elfenlied

Bei Nacht im Dorf der Wächter rief:
Elfe!
Ein ganz kleines Elfchen im Walde schlief –
Wohl um die Elfe! –
Und meint, es rief ihm aus dem Tal
Bei seinem Namen die Nachtigall,
Oder Silpelit hätt ihm gerufen.
Reibt sich der Elf die Augen aus,
Begibt sich vor sein Schneckenhaus,
Und ist als wie ein trunken Mann,
Sein Schläflein war nicht voll getan,
Und humpelt also tippe tapp
Durchs Haselholz ins Tal hinab,
Schlupft an der Mauer hin so dicht,
Da sitzt der Glühwurm, Licht an Licht.
»Was sind das helle Fensterlein?
Da drin wird eine Hochzeit sein:
Die Kleinen sitzen beim Mahle,
Und treibens in dem Saale.
Da guck ich wohl ein wenig 'nein!«
– Pfui, stößt den Kopf an harten Stein!
Elfe, gelt, du hast genug?
Gukuk! Gukuk!

Die Schwestern

Wir Schwestern zwei, wir schönen,
So gleich von Angesicht,
So gleicht kein Ei dem andern,
Kein Stern dem andern nicht.

Wir Schwestern zwei, wir schönen,
Wir haben lichtbraune Haar,

Und flichtst du sie in *einen* Zopf,
Man kennt sie nicht fürwahr.

Wir Schwestern zwei, wir schönen,
Wir tragen gleich Gewand,
Spazieren auf dem Wiesenplan
Und singen Hand in Hand.

Wir Schwestern zwei, wir schönen,
Wir spinnen in die Wett,
Wir sitzen an *einer* Kunkel,
Und schlafen in *einem* Bett.

O Schwestern zwei, ihr schönen,
Wie hat sich das Blättchen gewendt!
Ihr liebet einerlei Liebchen –
Und jetzt hat das Liedel ein End.

Die Soldatenbraut

Ach, wenns nur der König auch wüßt,
Wie wacker mein Schätzelein ist!
Für den König, da ließ' er sein Blut,
Für mich aber eben so gut.

Mein Schatz hat kein Band und kein' Stern,
Kein Kreuz wie die vornehmen Herrn,
Mein Schatz wird auch kein General;
Hätt er nur seinen Abschied einmal!

Es scheinen drei Sterne so hell
Dort über Marien-Kapell;
Da knüpft uns ein rosenrot Band,
Und ein Hauskreuz ist auch bei der Hand.

Jedem das Seine

Aninka tanzte
Vor uns im Grase
Die raschen Weisen.
  Wie schön war sie!

Mit den gesenkten,
Bescheidnen Augen
Das stille Mädchen –
  Mich macht' es toll!

Da sprang ein Knöpfchen
Ihr von der Jacke,
Ein goldnes Knöpfchen,
  Ich fing es auf –

Und dachte Wunder
Was mirs bedeute,
Doch hämisch lächelt'
  Jegór dazu,

Als wollt er sagen:
Mein ist das Jäckchen
Und was es decket,
Mein ist das Mädchen,
  Und dein – der Knopf!

Der Feuerreiter

Sehet ihr am Fensterlein
Dort die rote Mütze wieder?
Nicht geheuer muß es sein,
Denn er geht schon auf und nieder.
Und auf einmal welch Gewühle
Bei der Brücke, nach dem Feld!

Horch! das Feuerglöcklein gellt:
  Hinterm Berg,
  Hinterm Berg
Brennt es in der Mühle!

Schaut! da sprengt er wütend schier
Durch das Tor, der Feuerreiter,
Auf dem rippendürren Tier,
Als auf einer Feuerleiter!
Querfeldein! Durch Qualm und Schwüle
Rennt er schon, und ist am Ort!
Drüben schallt es fort und fort:
  Hinterm Berg,
  Hinterm Berg
Brennt es in der Mühle!

Der so oft den roten Hahn
Meilenweit von fern gerochen,
Mit des heilgen Kreuzes Span
Freventlich die Glut besprochen –
Weh! dir grinst vom Dachgestühle
Dort der Feind im Höllenschein.
Gnade Gott der Seele dein!
  Hinterm Berg,
  Hinterm Berg
Ras't er in der Mühle!

Keine Stunde hielt es an,
Bis die Mühle borst in Trümmer;
Doch den kecken Reitersmann
Sah man von der Stunde nimmer.
Volk und Wagen im Gewühle
Kehren heim von all dem Graus;
Auch das Glöcklein klinget aus:
  Hinterm Berg,
  Hinterm Berg
Brennts! –

Nach der Zeit ein Müller fand
Ein Gerippe samt der Mützen
Aufrecht an der Kellerwand
Auf der beinern Mähre sitzen:
Feuerreiter, wie so kühle
Reitest du in deinem Grab!
Husch! da fällts in Asche ab.
  Ruhe wohl,
  Ruhe wohl
Drunten in der Mühle!

Die Geister am Mummelsee

Vom Berge was kommt dort um Mitternacht spät
Mit Fackeln so prächtig herunter?
Ob das wohl zum Tanze, zum Feste noch geht?
Mir klingen die Lieder so munter.
O nein!
So sage, was mag es wohl sein?

Das, was du da siehest, ist Totengeleit,
Und was du da hörest, sind Klagen.
Dem König, dem Zauberer, gilt es zu Leid,
Sie bringen ihn wieder getragen.
O weh!
So sind es die Geister vom See!

Sie schweben herunter ins Mummelseetal –
Sie haben den See schon betreten –
Sie rühren und netzen den Fuß nicht einmal –
Sie schwirren in leisen Gebeten –
O schau,
Am Sarge die glänzende Frau!

Jetzt öffnet der See das grünspiegelnde Tor;
Gib acht, nun tauchen sie nieder!

Es schwankt eine lebende Treppe hervor,
Und – drunten schon summen die Lieder.
Hörst du?
Sie singen ihn unten zur Ruh.

Die Wasser, wie lieblich sie brennen und glühn!
Sie spielen in grünendem Feuer;
Es geisten die Nebel am Ufer dahin,
Zum Meere verzieht sich der Weiher –
Nur still!
Ob dort sich nichts rühren will?

Es zuckt in der Mitten – o Himmel! ach hilf!
Nun kommen sie wieder, sie kommen!
Es orgelt im Rohr und es klirret im Schilf;
Nur hurtig, die Flucht nur genommen!
Davon!
Sie wittern, sie haschen mich schon!

Märchen vom sichern Mann

Soll ich vom sicheren Mann ein Märchen erzählen, so höret!
– Etliche sagen, ihn habe die steinerne Kröte geboren.
Also heißet ein mächtiger Fels in den Bergen des Schwarzwalds,
Stumpf und breit, voll Warzen, der häßlichen Kröte vergleichbar.
Darin lag er und schlief bis nach den Tagen der Sündflut.
Nämlich es war sein Vater ein Waldmensch, tückisch und grausam,
Allen Göttern ein Greul und allen Nymphen gefürchtet.
Ihm nicht durchaus gleich ist der Sohn, doch immer ein Unhold;
Riesenhaft an Gestalt, von breitem Rücken und Schultern.
Ehmals ging er fast nackt, unehrbarlich; aber seit Menschen-

Denken im rauh grauhärenen Rock, mit schrecklichen Stiefeln.
Grauliche Borsten bedecken sein Haupt und es starret der Bart ihm.
(Heimlich besucht ihn, heißt es, der Igelslocher Balbierer
In der Höhle, woselbst er ihm dient wie der sorgsame Gärtner,
Wenn er die Hecken stutzt mit der unermeßlichen Schere.)
Lauter Nichts ist sein Tun und voll von törichten Grillen:
Wenn er herniedersteigt vom Gebirg bei nächtlicher Weile,
Laut im Gespräch mit sich selbst, und oft ingrimmigen Herzens
Weg- und Meilenzeiger mit *einem* gemessenen Tritt knickt
(Denn die hasset er bis auf den Tod, unbilligerweise);
Oder auch wenn er zur Winterzeit ins beschneiete Blachfeld
Oft sich der Länge nach streckt und, aufgestanden, an seinem
Konterfei sich ergötzt, mit bergerschütterndem Lachen.

Aber nun lag er einmal mittags in seiner Behausung,
Seinen geliebtesten Fraß zu verdaun, saftstrotzende Rüben,
Zu dem geräucherten Speck, den die Bauern ihm bringen vertragsweis;
Plötzlich erfüllete wonniger Glanz die Wände der Höhle:
Lolegrin stand vor ihm: der liebliche Götterjüngling,
Welcher ein Lustigmacher bestellt ist seligen Göttern,
(Sonst nur auf Orplid* gesehn, denn andere Lande vermied er)
Weylas schalkischer Sohn, mit dem Narrenkranz um die Schläfe,
Zierlich aus blauen Glocken und Küchenschelle geflochten.
Er nun red'te den Ruhenden an mit trüglichem Ernste:
»Suckelborst, sicherer Mann, sei gegrüßt! und höre vertraulich
Was die Himmlischen dir durch meine Sendung entbieten.

* *Orplid*, eine fabelhafte Insel, deren Beschützerin die Göttin *Weyla* ist. Man vergleiche hiezu: Maler Nolten, 1. T.

– Sämtlich ehren sie deinen Verstand und gute Gemütsart,
Sowie deine Geburt: es war dein Vater ein Halbgott,
Und desgleichen auch hielten sie dich stets; aber in *einem*
Bist du ihnen nicht recht; das sollt du jetzo vernehmen.
Bleibe nur, Lieber, getrost so liegen – ich setze bescheiden
Mich auf den Absatzrand hier deines würdigen Stiefels,
Der wie ein Felsblock ragt, und unschwer bin ich zu
tragen.

Siehe, Serachadan zeugete dich mit der Riesenkröte,
Seine unsterbliche Kraft in ihrem Leibe verschließend,
Da sie noch lebend war; doch gleich nach ihrer
Empfängnis
Ward sie verwandelt in Stein und hauchte dein Vater den
Geist aus.
Aber du schliefest im Mutterleib neun Monde und drüber,
Denn im zehnten kamen die großen Wasser auf Erden;
Vierzig Tage lang strömte der Regen und vierzig Nächte
Auf die sündige Welt, so Tiere wie Menschen ersäufend;
Eine einzige See war über die Lande ergossen,
Über Gebirg und Tal, und deckte die wolkigen Gipfel.
Doch du lagest zufrieden in deinem Felsen verborgen,
So wie die Auster ruht in festverschlossenen Schalen,
Oder des Meeres Preis, die unbezahlbare Perle.
Götter segneten deinen Schlaf mit hohen Gesichten,
Zeigten der Schöpfung Heimliches dir, wie alles geworden:
Erst, wie der Erdball, ganz mit wirkenden Kräften
geschwängert,
Einst dem dunkelen Nichts entschwebte, zusamt den
Gestirnen;
Wie mit Gras und Kraut sich zuerst der Boden begrünte,
Wie aus der Erde Milch, so sie hegt im inneren Herzen,
Wurde des Fleisches Gebild, das zarte, darinnen der Geist
wohnt,
Tier- und Menschengeschlecht, denn erdgeboren sind beide.
Zudem sang dir dein Traum der Völker späteste Zukunft,
So wie der Throne Wechselgeschick und der Könige Taten,

Ja, du sahst den verborgenen Rat der ewigen Götter.
Solches vergönnten sie dir, auf daß du, ein herrlicher
Lehrer
Oder ein Seher, die Wahrheit wiederum andern
verkündest;
Nicht den Menschen sowohl, die da leben und wandeln auf
Erden –
Ihnen ja dient nur wenig zu wissen, – ich meine die Geister
Unten im Schattengefild, die alten Weisen und Helden,
Welche da traurig sitzen und forschen das hohe
Verhängnis,
Schweigsam immerdar, des erquicklichen Wortes
entbehrend.
Aber vergebens harren sie dein, dieweil du ja gänzlich
Deines erhabnen Berufs nicht denkst. Laß, Alter, mich
offen
Dir gestehen, so, wie du es bisher getrieben, erscheinst du
Weder ein Halbgott, noch ein Begeisteter, sondern ein
Schweinpelz.
Greulichem Fraß nachtrachtest du nur und sinnest auf
Unheil;
Steigest des Nachts in den Fluß, bis über die Kniee
gestiefelt,
Trennest die Bänder los an den Flößen und schleuderst die
Balken
Weit hinein in das Land, den ehrlichen Flößern zum
Torten.
Taglang trollest du müßig umher im wilden Gebirge,
Ahmest das Grunzen des Keulers nach und lockest sein
Weibchen,
Greifest, wenn sie nun rennt durch den Busch, die Sau bei
den Ohren,
Zwickst die wütende, grausam an ihrem Geschreie dich
weidend.
Siehe, dies wissen wir wohl, denn jegliches sehen die
Götter.
Aber du reize sie länger nicht mehr! es möchte dich reuen.

Schmeidige doch ein weniges deine borstige Seele!
Suche zusammen dein Wissen und lichte die rußigen
Kammern
Deines Gehirns und besinne dich wohl auf alles und jedes,
Was dir geoffenbart; dann nimm den Griffel und zeichn es
Fein mit Fleiß in ein Buch, damit es daure und bleibe;
Leg den Toten es aus in der Unterwelt! Sicherlich weißt du
Wohl die Pfade dahin und den Eingang, welcher dich
nicht schreckt,
Denn du bist ja der sichere Mann mit den wackeren
Stiefeln.
Lieber, und also scheid ich. Ade! wir sehen uns wieder.«

Sprach es, der schelmische Gott, und ließ den Alten
alleine.
Der nun war wie verstürzt und stand ihm fast der
Verstand still.
Halblaut hebt er zu brummen erst an und endlich zu
fluchen,
Schandbare Worte zumal, gottloseste, nicht zu beschreiben.
Aber nachdem die Galle verraucht war und die Empörung,
Hielt er inne und schwieg; denn jetzo gemahnte der Geist
ihn,
Nicht zu trotzen den Himmlischen, deren doch immer die
Macht ist,
Sondern zu folgen vielmehr. Und alsbald wühlt sein
Gedanke
Rückwärts durch der Jahrtausende Wust, bis tief wo er
selber
Noch ein Ungeborener träumte die Wehen der Schöpfung,
(Denn so sagte der Gott und Götter werden nicht lügen).
Aber da deucht es ihm Nacht, dickfinstere; wo er
umhertappt,
Nirgend ist noch ein Halt und noch kein Nagel geschlagen,
Anzuhängen die Wucht der wundersamen Gedanken,
Welche der Gott ihm erregt in seiner erhabenen Seele;
Und so kam er zu nichts und schwitzete wie ein Magister.

Endlich ward ihm geschenkt, daß er flugs dahin sich
bedachte:
Erst ein Buch sich zu schaffen, ein unbeschriebenes, großes,
Seinen Fäusten gerecht und wert des künftigen Inhalts.
Wie er solches erreicht, o Muse, dies hilf mir verkünden!

Längst war die Sonne hinab, und Nacht beherrschte den
Erdkreis
Seit vier Stunden, da hebt der sichere Mann sich vom
Lager,
Setzet den runden Hut auf das Haupt und fasset den
Wander-
Stab und verlässet die Höhle. Gemächlich steigt er
bergaufwärts,
Red't mit sich selber dabei und brummt nach seiner
Gewohnheit.

Aber nun hub sich der Mond auch schon in leuchtender
Schöne
Rein am Forchenwalde herauf und erhellte die Gegend,
Samt der Höhe von Igelsloch, wo nun Suckelborst anlangt.
Kaum erst hatte der Wächter die zwölfte Stunde gerufen,
Alles ist ruhig im Dorf und nirgend ein Licht mehr zu
sehen,
Nicht in den Kunkelstuben gesellig spinnender Mägdlein,
Nicht am einsamen Stuhle des Webers oder im Wirtshaus,
Mann und Weib im Bette, die Last des Tages verschlafend.

Suckelborst tritt nun sacht vor die nächstgelegene Scheuer,
Misset die zween Torflügel, die Höhe sowohl wie die
Breite,
Still mit zufriedenem Blick (auch waren sie nicht von den
kleinsten,
Aber er selbst war größer denn sie, dieweil er ein Riese).
Schloß und Riegel betrachtet er wohl, kneipt dann mit
dem Finger
Ab den Kloben und öffnet das Tor und hebet die Flügel

Leicht aus den Angeln und lehnt an die Wand sie
übereinander.
Alsbald schaut er sich um nach des Nachbars Scheuer und
schreitet
Zu demselben Geschäft und raubet die mächtigen Tore,
Stellt zu den vorigen sie an die Wand und also fort macht
er
Weiter im Gäßchen hinauf, bis er dem fünften und
sechsten
Bauern auf gleiche Weise die Tenne gelüftet. Am Ende
Überzählt er die Stücke: es waren gerade ein Dutzend
Blätter, und fehlte nur noch, daß er mit sauberen Stricken
Hinten die Öhre der Angeln verband, da war es ein
Schreibbuch,
Gar ein stattliches; doch dies blieb ein Geschäft für
daheime.
Also nimmt er es unter den Arm, das Werk, und trollt sich.

Unterdes war aufschauernd vom Schlaf der schnarchenden
Bauern
Einer erwacht und hörte des schwer Entwandelnden
Fußtritt.
Hastig entrauscht er dem Lager und stößt am niedrigen
Fenster
Rasch den Schieber zurück und horcht und sieht mit
Entsetzen
Rings im mondlichen Dorf der Scheuern finstere Rachen
Offen stehn; da fährt er voll Angst in die lederne Hose
(Beide Füße verkehrt, den linken macht er zum rechten),
Rüttelt sein Weib und redet zu ihr die eifrigen Worte:
»Käthe! steh auf! Der sichere Mann – ich hab ihn
vernommen –
Hat wie der Feind im Flecken hantiert und die Scheuern
geplündert!
Schau im Hause mir nach und im Stall! ich laufe zum
Schulzen.«
Also stürmt er hinaus. Doch tut er selber im Hof erst

Noch einen Blick in die Ställe, ob auch sein Vieh noch
vorhanden;
Aber da fehlte kein Schweif, und es muht ihm entgegen die
Schecke,
Meint, es wär Fütternszeit; er aber enteilt in die Gasse,
Klopft unterwegs dem Büttel am Laden und ruft ihm das
Wort zu:
»Michel, heraus! mach Lärm! Der sichere Mann hat den
Flecken
Heimgesucht und die Scheuern erbrochen und übel
gewirtschaft't!«
Solches noch redend hinweg schon lief er und weckte den
Schultheiß,
Weckte den Bürgermeister und andere seiner Gefreund'te.
Alsbald wurden die Straßen lebendig, es staunten die
Männer,
Stießen Verwünschungen aus, im Chor lamentierten die
Weiber,
Jeder durchmusterte seinen Besitz, und wenig getröstet,
Als kein größerer Schaden herauskam, fielen mit Unrecht
Über den Wächter die grimmigsten her und schrien: »Du
Schlafratz!
Du keinnütziger Tropf!« und ballten die bäurischen Fäuste,
Ihn zu bläuen, und nahmen auch nur mit Mühe Vernunft an.
Endlich zerstreuten sie sich zur Ruhe; doch stellte der
Schultheiß
Wachen noch aus für den Fall, daß der Unhold noch
einmal käme.

Suckelborst hatte derweil schon wieder die Höhle
gewonnen,
Welche von vorn gar weit und hoch in den Felsen sich
wölbte.
Duftende Kiefern umschatteten, riesige, dunkel den
Eingang.
Hier denn leget er nieder die ungeheueren Tore,
Und sich selber dazu, des goldenen Schlafes genießend.

Aber sobald die Sonne nur zwischen den Bäumen
hereinschien,
Gleich an die Arbeit machet er sich, die Tore zu heften.
Saubere Stricke schon lagen bereit, gestohlene freilich;
Und er ordnet die Blätter mit sinnigen Blicken und füget
Vorn und hinten zur Decke die schönsten (sie waren des
Schulzen,
Künstlich über das Kreuz mit roten Leisten beschlagen).
Aber auf einmal jetzt, in des stattlichen Werkes
Betrachtung,
Wächst ihm der Geist, und er nimmt die mächtige Kohle
vom Boden,
Legt vor das offene Buch sich nieder und schreibet aus
Kräften,
Striche, so grad wie krumm, in unnachsagbaren Sprachen,
Kratzt und schreibt und brummelt dabei mit zufriedenem
Nachdruck.
Anderthalb Tag arbeitet er so, kaum gönnet er Zeit sich,
Speise zu nehmen und Trank, bis die letzte Seite gefüllt
ist,
Endlich am Schluß denn folget das Punktum, groß wie ein
Kindskopf.
Tief aufschnaufend erhebet er sich, sein Buch
zuschmetternd.

Jetzo, nachdem er das Herz sich gestärkt mit reichlicher
Mahlzeit,
Nimmt er den Hut und den Stock und reiset. Auf
einsamen Pfaden
Stets gen Mitternacht läuft er, denn dies ist der Weg zu
den Toten.
Schon mit dem siebenten Morgen erreicht er die finstere
Pforte.
Purpurn streifte soeben die Morgenröte den Himmel,
Welche den lebenden Menschen das Licht des Tages
verkündet,
Als er hinabwärts stieg, furchtlos, die felsigen Hallen.

Aber er hatte der Stunden noch zweimal zwölfe zu
wandeln
Durch der Erde gewundenes Ohr, wo ihn Lolegrin
heimlich
Führete, bis er die Schatten ersah, die, luftig und
schwebend,
Dämmernde Räume bewohnen, die Bösen sowohl wie die
Guten.

Vorn bei dem Eingang sammelte sich unliebsames
Kehricht
Niederen Volks: trugsinnende Krämer und Kuppler und
Metzen,
Lausige Dichter dabei und unzählbares Gesindel.
Diese, zu schwatzen gewohnt, zu Possen geneigt und zu
Händeln,
Mühten vergebens sich ab, zu erheben die lispelnde
Stimme, –
Denn hellklingendes Wort ist nicht den Toten verliehen –
Und so winkten sie nur mit heftig bewegter Gebärde,
Stießen und zerrten einander als wie im Gewühle des
Jahrmarkts.
Weiter dagegen hinein sah man ruhmwürdige Geister,
Könige, Helden und Sänger, geschmückt mit ewigem
Lorbeer;
Ruhig ergingen sie sich und saßen, die einen zusammen,
Andre für sich, und es trennte die weit zerstreueten
Gruppen
Hügel und Fels und Gebüsch und die finstere Wand der
Zypressen.

Kaum nun war der sichere Mann in der Pforte
erschienen,
Aufrecht die hohe Gestalt, mit dem Weltbuch unter dem
Arme,
Sieh, da betraf die Schatten am Eingang tödliches
Schrecken.

Auseinander stoben sie all, wie Kinder vom Spielplatz,
Wenn es im Dorfe nun heißt: »Der Hummel* ist los!« und »da kommt er!«
Doch der sichere Mann, vorschreitend, winkete gnädig
Ringsumher, da kamen sie näher und standen und gafften.

Suckelborst lehnet nunmehr sein mächtiges Manuskriptum
Gegen den niedrigen Hügel, den rundlichen, welchem genüber
Er selbst Platz zu nehmen gedenkt auf moosigem Felsstück.
Doch erst leget er Hut und Stock zur Seite bedächtig,
Streicht mit der breiten Hand sich den beißenden Schweiß von der Stirne,
Räuspert sich, daß die Hallen ein prasselndes Echo versenden,
Sitzet nieder sodann und beginnt den erhabenen Vortrag.
Erst, wie der Erdball, ganz mit wirkenden Kräften geschwängert,
Einst dem dunkelen Nichts entschwebte zusamt den Gestirnen,
Wie mit Gras und Kraut sich zuerst der Boden begrünte,
Wie aus der Erde Milch, so sie hegt im inneren Herzen,
Wurde des Fleisches Gebild, das zarte, darinnen der Geist wohnt,
Tier- und Menschengeschlecht, denn erdgeboren sind beide.

Solches, nach bestem Verstand und soweit ihn der Dämon erleuchtet,
Lehrte der Alte getrost, und still aufhorchten die Schatten.
Aber es hatte der Teufel, das schwarze, gehörnete Scheusal,
Sich aus fremdem Gebiet des unterirdischen Reiches
Unberufen hier eingedrängt, neugierig und boshaft,
Wie er wohl manchmal pflegt, wenn er Kundschaft suchet und Kurzweil.
Und er stellte sich hinter den Sprechenden, ihn zu verhöhnen,

* Schwäbisch, für *Bulle*.

Schnitt Gesichter und reckte die Zung und machete Purzel-
Bäum, als ein Aff, und reizte die Seelen beständig zu
lachen.
Wohl bemerkt' es der sichere Mann, doch tat er nicht also,
Sondern er redete fort, in würdiger Ruhe beharrend.
Indes trieb es der andere nur um desto verwegner,
Schob am Ende den Schwanz, den gewichtigen, langen,
dem Alten
Sacht in die Hintertasche des Rocks, als wenn es ihn fröre:
Plötzlich da greifet der sichere Mann nach hinten, gewaltig
Mit der Rechten erfaßt er den Schweif und reißet ihn
schnellend
Bei der Wurzel heraus, daß es kracht – ein gräßlicher
Anblick.
Laut aufbrüllet der Böse, die Tatzen gedeckt auf die
Wunde,
Dreht im rasenden Schmerz wie ein Kreisel sich, schreiend
und winselnd,
Und schwarz quoll ihm das Blut wie rauchendes Pech aus
der Wunde;
Dann, wie ein Pfeil zur Seite gewandt, mit Schanden
entrinnt er
Durch die geschwind eröffnete Gasse der staunenden
Seelen,
Denn nach der eigenen Hölle verlangt ihn, wo er zu Haus
war;
Und man hörte noch weit aus der Ferne des Flüchtigen
Wehlaut.

Aber es standen die Scharen umher von Grausen gefesselt,
Ehrfurchtsvoll zum sicheren Mann die Augen erhoben.
Dieser hielt noch und wog den wuchtigen Schweif in den
Händen,
Den bisweilen ein zuckender Schmerz noch leise bewegte.
Sinnend schaut' er ihn an und sprach die prophetischen
Worte:

»Wie oft tut der sichere Mann dem Teufel ein Leides?
Erstlich heute, wie eben geschehn, ihr saht es mit Augen;
Dann ein zweites, ein drittes Mal in der Zeiten
Vollendung:
Dreimal rauft der sichere Mann dem Teufel den Schweif
aus.
Neu zwar sprosset hervor ihm derselbige, aber nicht ganz
mehr;
Kürzer gerät er, je um ein Dritteil, bis daß er welket.
Gleichermaßen vergeht dem Bösen der Mut und die Stärke,
Kindisch wird er und alt, ein Bettler, von allen verachtet.
Dann wird ein Festtag sein in der Unterwelt und auf der
Erde;
Aber der sichere Mann wird ein lieber Genosse den
Göttern.«

Sprach es, und jetzo legt' er den Schweif in das Buch als ein
Zeichen,
Sorgsam, daß oben noch just der haarige Büschel heraussah,
Denn er gedachte für jetzt nicht weiter zu lehren, und basta
Schmettert er zu den Deckel des ungeheueren Werkes,
Faßt es unter den Arm, nimmt Hut und Stock und
empfiehlt sich.

Unermeßliches Beifallklatschen des sämtlichen Pöbels
Folgte dem Trefflichen nach, bis er ganz in der Pforte
verschwunden,
Und es rauschte noch lang und tosete freudiger Aufruhr.

Aber Lolegrin hatte, der Gott, das ganze Spektakel
Heimlich mit angesehn und gehört, in Gestalt der Zikade
Auf dem hangenden Zweig der schwarzen Weide sich
wiegend.
Jetzo verließ er den Ort und schwang sich empor zu den
Göttern,
Ihnen treulich zu melden die Taten des sicheren Mannes
Und das himmlische Mahl mit süßem Gelächter zu würzen.

Gesang Weylas

Du bist Orplid, mein Land!
Das ferne leuchtet;
Vom Meere dampfet dein besonnter Strand
Den Nebel, so der Götter Wange feuchtet.

Uralte Wasser steigen
Verjüngt um deine Hüften, Kind!
Vor deiner Gottheit beugen
Sich Könige, die deine Wärter sind.

Gefunden

Zeus, um die Mitte zu finden vom Erdkreis, den er beherrschte,
Wußte den sinnigsten Rat; kindliche Dichtung erzählts:
Adler, ein Paar, von Morgen den einen, den andern von Abend,
Ließ er fliegen, zugleich, gegeneinander gekehrt.
Wo sie alsdann, gleichmäßiger Kraft mit den Fittigen strebend,
Trafen zusammen, da fand, was er verlangte, der Gott.
So, wo die Weisheit sich und die Schönheit werden begegnen,
Stellet den Dreifuß keck, bauet den Tempel nur auf!

Die schöne Buche

Ganz verborgen im Wald kenn ich ein Plätzchen, da stehet
Eine Buche, man sieht schöner im Bilde sie nicht.
Rein und glatt, in gediegenem Wuchs erhebt sie sich einzeln,

Keiner der Nachbarn rührt ihr an den seidenen Schmuck.
Rings, soweit sein Gezweig der stattliche Baum ausbreitet,
Grünet der Rasen, das Aug still zu erquicken, umher;
Gleich nach allen Seiten umzirkt er den Stamm in der Mitte;
Kunstlos schuf die Natur selber dies liebliche Rund.
Zartes Gebüsch umkränzet es erst; hochstämmige Bäume,
Folgend in dichtem Gedräng, wehren dem himmlischen Blau.
Neben der dunkleren Fülle des Eichbaums wieget die Birke
Ihr jungfräuliches Haupt schüchtern im goldenen Licht.
Nur wo, verdeckt vom Felsen, der Fußsteig jäh sich hinabschlingt,
Lässet die Hellung mich ahnen das offene Feld.
– Als ich unlängst einsam, von neuen Gestalten des Sommers
Ab dem Pfade gelockt, dort im Gebüsch mich verlor,
Führt' ein freundlicher Geist, des Hains auflauschende Gottheit,
Hier mich zum erstenmal, plötzlich, den Staunenden, ein.
Welch Entzücken! Es war um die hohe Stunde des Mittags,
Lautlos alles, es schwieg selber der Vogel im Laub.
Und ich zauderte noch, auf den zierlichen Teppich zu treten;
Festlich empfing er den Fuß, leise beschritt ich ihn nur.
Jetzo gelehnt an den Stamm (er trägt sein breites Gewölbe
Nicht zu hoch), ließ ich rundum die Augen ergehn,
Wo den beschatteten Kreis die feurig strahlende Sonne,
Fast gleich messend umher, säumte mit blendendem Rand.
Aber ich stand und rührte mich nicht; dämonischer Stille,
Unergründlicher Ruh lauschte mein innerer Sinn.
Eingeschlossen mit dir in diesem sonnigen Zauber-
Gürtel, o Einsamkeit, fühlt ich und dachte nur dich!

Johann Kepler

Gestern, als ich vom nächtlichen Lager den Stern mir in Osten
Lang betrachtete, den dort mit dem rötlichen Licht,
Und des Mannes gedachte, der seine Bahnen zu messen,
Von dem Gotte gereizt, himmlischer Pflicht sich ergab,
Durch beharrlichen Fleiß der Armut grimmigen Stachel
Zu versöhnen, umsonst, und zu verachten bemüht:
Mir entbrannte mein Herz von Wehmut bitter; ach! dacht ich,
Wußten die Himmlischen dir, Meister, kein besseres Los?
Wie ein Dichter den Helden sich wählt, wie Homer von Achilles'
Göttlichem Adel gerührt, schön im Gesang ihn erhob,
Also wandtest du ganz nach jenem Gestirne die Kräfte,
Sein gewaltiger Gang war dir ein ewiges Lied.
Doch so bewegt sich kein Gott von seinem goldenen Sitze,
Holdem Gesange geneigt, den zu erretten, herab,
Dem die höhere Macht die dunkeln Tage bestimmt hat,
Und euch Sterne berührt nimmer ein Menschengeschick;
Ihr geht über dem Haupte des Weisen oder des Toren
Euren seligen Weg ewig gelassen dahin!

Auf das Grab von Schillers Mutter

Cleversulzbach, im Mai

Nach der Seite des Dorfs, wo jener alternde Zaun dort
Ländliche Gräber umschließt, wall ich in Einsamkeit oft.
Sieh den gesunkenen Hügel; es kennen die ältesten Greise
Kaum ihn noch, und es ahnt niemand ein Heiligtum hier.
Jegliche Zierde gebricht und jedes deutende Zeichen;
Dürftig breitet ein Baum schützende Arme umher.

Wilde Rose! dich find ich allein statt anderer Blumen;
  Ja, beschäme sie nur, brich als ein Wunder hervor!
Tausendblättrig eröffne dein Herz! entzünde dich herrlich
  Am begeisternden Duft, den aus der Tiefe du ziehst!
Eines Unsterblichen Mutter liegt hier bestattet; es richten
  Deutschlands Männer und Fraun eben den Marmor ihm
auf.

Theokrit

Sei, o Theokritos, mir, du Anmutsvollster, gepriesen!
  Lieblich bist du zuerst, aber auch herrlich fürwahr.
Wenn du die Chariten schickst in die Goldpaläste der
Reichen,
  Unbeschenkt kehren sie dir, nackenden Fußes, zurück.
Müßig sitzen sie wieder im ärmlichen Hause des Dichters,
  Auf die frierenden Knie traurig die Stirne gesenkt.
Oder die Jungfrau führe mir vor, die, rasend in Liebe,
  Da ihr der Jüngling entfloh, Hekates Künste versucht.
Oder besinge den jungen Herakles, welchem zur Wiege
  Dienet der eherne Schild, wo er die Schlangen erwürgt:
Klangvoll fährst du dahin! dich kränzte Kalliope selber,
  Aber bescheiden, ein Hirt, kehrst du zur Flöte zurück.

Tibullus

Wie der wechselnde Wind nach allen Seiten die hohen
  Saaten im weichen Schwung niedergebogen durchwühlt:
Liebekranker Tibull! so unstet fluten, so reizend,
  Deine Gesänge dahin, während der Gott dich bestürmt.

An Hermann

Unter Tränen rissest du dich von meinem Halse!
 In die Finsternis lang sah ich verworren dir nach.
Wie? auf ewig? sagtest du so? Dann lässet auf ewig
 Meine Jugend von mir, lässet mein Genius mich!
Und warum? bei allem, was heilig, weißt du es selber,
 Wenn es der Übermut schwärmender Jugend nicht ist?
O verwegenes Spiel! Komm! nimm dein Wort noch zurücke!
 – Aber du hörtest nicht, ließest mich staunend allein.
Monde vergingen und Jahre; die heimliche Sehnsucht im Herzen,
 Standen wir fremd, es fand keiner ein mutiges Wort,
Um den kindischen Bann, den luftgewebten, zu brechen,
 Und der gemeine Tag löschte bald jeglichen Wunsch.
Aber heutige Nacht erschien mir wieder im Traume
 Deine Knabengestalt – Wehe! wo rett ich mich hin
Vor dem lieblichen Bild? Ich sah dich unter den hohen
 Maulbeerbäumen im Hof, wo wir zusammen gespielt.
Und du wandtest dich ab, wie beschämt, ich strich dir die Locken
 Aus der Stirne: O du, rief ich, was kannst du dafür!
Weinend erwacht ich zuletzt, trüb schien der Mond auf mein Lager,
 Aufgerichtet im Bett saß ich und dachte dir nach.
O wie tobte mein Herz! Du fülltest wieder den Busen
 Mir, wie kein Bruder vermag, wie die Geliebte nicht kann!

Auf dem Krankenbette

Gleichwie ein Vogel am Fenster vorbei mit sonnebeglänztem
 Flügel den blitzenden Schein wirft in ein schattig Gemach,
Also, mitten im Gram um verlorene Jahre des Siechbetts,
 Überraschet und weckt leuchtende Hoffnung mich oft.

An meinen Arzt, Herrn Dr. Elsäßer

Siehe! da stünd ich wieder auf meinen Füßen, und blicke
  Froh erstaunt in die Welt, die mir im Rücken schon lag!
Aber ich spreche von Dank dir nicht: du liesest ihn besser
  Mir im Auge, du fühlst hier ihn im Drucke der Hand.
Ich glückseliger Tor, der ich meine, du solltest verwundert
  Über dich selber mit uns sein, ja gerührt, so wie ich!
Doch daran erkennen wir dich – Den schwindelnden Nachen
  Herrlich meisternd fährt ruhig der Schiffer ans Land,
Wirft in den Kahn das Ruder, das, ach! so viele gerettet,
  Laut umjauchzen sie ihn, aber er achtet es kaum,
Kettet das Schiff an den Pflock, und am Abend sitzt er beim Kruge
  Wie ein anderer Mann, füllet sein Pfeifchen und ruht.

Lose Ware

»Tinte! Tinte, wer braucht? Schön schwarze Tinte verkauf ich!«
  Rief ein Büblein gar hell Straßen hinauf und hinab.
Lachend traf sein feuriger Blick mich oben im Fenster,
  Eh ich michs irgend versah, huscht er ins Zimmer herein.
Knabe, dich rief niemand! – »Herr, meine Ware versucht nur!«
  Und sein Fäßchen behend schwang er vom Rücken herum.
Da verschob sich das halbzerrissene Jäckchen ein wenig
  An der Schulter und hell schimmert ein Flügel hervor.
Ei, laß sehen, mein Sohn, du führst auch Federn im Handel?
  Amor, verkleideter Schelm! soll ich dich rupfen sogleich?
Und er lächelt, entlarvt, und legt auf die Lippen den Finger:
  »Stille! sie sind nicht verzollt – stört die Geschäfte mir nicht!

Gebt das Gefäß, ich füll es umsonst, und bleiben wir Freunde!«
Dies gesagt und getan, schlüpft er zur Türe hinaus. –
Angeführt hat er mich doch: denn will ich was Nützliches schreiben,
Gleich wird ein Liebesbrief, gleich ein Erotikon draus.

Im Park

Sieh, der Kastanie kindliches Laub hängt noch wie der feuchte
Flügel des Papillons, wenn er die Hülle verließ;
Aber in laulicher Nacht der kürzeste Regen entfaltet
Leise die Fächer und deckt schnelle den luftigen Gang.
– Du magst eilen, o himmlischer Frühling, oder verweilen,
Immer dem trunkenen Sinn fliehst du, ein Wunder, vorbei.

Nachts am Schreibepult

Primel und Stern und Syringe, von einsamer Kerze beleuchtet,
Hier im Glase, wie fremd blickt ihr, wie feenhaft, her!
Sonne schien, als die Liebste euch trug, da wart ihr so freudig:
Mitternacht summt nun um euch, ach! und kein Liebchen ist hier.

Götterwink

Nachts auf einsamer Bank saß ich im tauenden Garten,
Nah dem erleuchteten Saal, der mir die Liebste verbarg.
Rund umblüheten ihn die Akazien, duftaushauchend,

Weiß wie der fallende Schnee deckten die Blüten den Weg.
Mädchengelächter erscholl und Tanz und Musik in dem
Innern,
Doch aus dem fröhlichen Chor hört ich nur andre heraus.
Trat sie einmal ans Fenster, ich hätte den dunkelsten Umriß
Ihrer lieben Gestalt gleich unter allen erkannt.
Warum zeigt sie sich nicht, und weiß, es ist der Geliebte
Niemals ferne von ihr, wo sie auch immer verweilt?
Ihr umgebt sie nun dort, o feine Gesellen! Ihr findet,
Schön ist die Blume, noch rein atmend die Würze des
Hains.
Dünkt euch dies Kind wohl eben gereift für das erste
Verständnis
Zärtlicher Winke? Ihr seid schnelle, doch kommt ihr zu
spät.
Stirne, Augen und Mund, von Unschuld strahlend,
umdämmert
Schon des gekosteten Glücks seliger Nebel geheim.
Blickt sie nicht wie abwesend in euren Lärmen? Ihr Lächeln
Zeigt nur gezwungen die Zahnperlen, die köstlichen, euch.
Wüßtet ihr was die Schleife verschweigt im doppelten
Kranze
Ihrer Flechten! Ich selbst steckte sie küssend ihr an,
Während mein Arm den Nacken umschlang, den eueren
Blicken
Glücklich der seidene Flor, lüsterne Knaben, verhüllt.
– Also sprach ich und schwellte mir so Verlangen und
Sehnsucht;
Kleinliche Sorge bereits mischte sich leise darein.
Aber ein Zeichen erschien, ein göttliches: nicht die Geliebte
Schickt' es, doch Amor selbst, welchen mein Kummer
gerührt.
Denn an dem Altan, hinter dem nächtlichen Fenster,
bewegt sich
Plötzlich, wie Fackelschein, eilig vorüber ein Licht,
Stark herstrahlend zu mir, und hebt aus dem dunkeln
Gebüsche,

Dicht mir zur Seite, die hoch glühende Rose hervor.
Heil! o Blume, du willst mir verkünden, o götterberührte,
Welche Wonne, noch heut, mein, des Verwegenen, harrt
Im verschloßnen Gemach. Wie schlägt mein Busen! –
Erschütternd
Ist der Dämonien Ruf, auch der den Sieg dir verspricht.

Datura suaveolens

Ich sah eben ein jugendlich Paar, o Blume Dianas,
Vor dir stehen; es war Wange an Wange gelegt.
Beide sie schlürften zugleich den unnennbaren Duft aus
dem weiten,
Schneeigen Becher und leis hört ich ein doppeltes Ach!
»Küsse mich!« sagte sie jetzt, und mitten im Strome des
Nektars
Atmend wechselten sie Küsse, begeisterten Blicks.
– Zürn, o Himmlische, nicht! Du hast fürwahr zu den
Gaben
Irdischer Liebe den Hauch göttlicher Schöne gemischt.

Inschrift auf eine Uhr mit den drei Horen

Βάρδισται μακάρων ῟Ωραι φίλαι –
Theokrit

Am langsamsten von allen Göttern wandeln wir,
Mit Blätterkronen schön geschmückte, schweigsame.
Doch wer uns ehrt und wem wir selber günstig sind,
Weil er die Anmut liebet und das heilge Maß,
Vor dessen Augen schweben wir im leichten Tanz
Und machen mannigfaltig ihm den langen Tag.

Auf eine Lampe

Noch unverrückt, o schöne Lampe, schmückest du,
An leichten Ketten zierlich aufgehangen hier,
Die Decke des nun fast vergeßnen Lustgemachs.
Auf deiner weißen Marmorschale, deren Rand
Der Efeukranz von goldengrünem Erz umflicht,
Schlingt fröhlich eine Kinderschar den Ringelreihn.
Wie reizend alles! lachend, und ein sanfter Geist
Des Ernstes doch ergossen um die ganze Form –
Ein Kunstgebild der echten Art. Wer achtet sein?
Was aber schön ist, selig scheint es in ihm selbst.

Erinna an Sappho

Erinna, eine hochgepriesene junge Dichterin des griechischen Altertums, um 600 v. Chr., Freundin und Schülerin Sapphos zu Mitylene auf Lesbos. Sie starb als Mädchen mit neunzehn Jahren. Ihr berühmtestes Werk war ein episches Gedicht, »Die Spindel«, von dem man jedoch nichts Näheres weiß. Überhaupt haben sich von ihren Poesien nur einige Bruchstücke von wenigen Zeilen und drei Epigramme erhalten. Es wurden ihr zwei Statuen errichtet, und die Anthologie hat mehrere Epigramme zu ihrem Ruhme von verschiedenen Verfassern.

»Vielfach sind zum Hades die Pfade«, heißt ein
Altes Liedchen – »und einen gehst du selber,
Zweifle nicht!« Wer, süßeste Sappho, zweifelt?
Sagt es nicht jeglicher Tag?
Doch den Lebenden haftet nur leicht im Busen
Solch ein Wort, und dem Meer anwohnend ein Fischer von
Kind auf
Hört im stumpferen Ohr der Wogen Geräusch nicht mehr.
– Wundersam aber erschrak mir heute das Herz. Vernimm!

Sonniger Morgenglanz im Garten,
Ergossen um der Bäume Wipfel,
Lockte die Langschläferin (denn so schaltest du jüngst
Erinna!)

Früh vom schwüligen Lager hinweg.
Stille war mein Gemüt; in den Adern aber
Unstet klopfte das Blut bei der Wangen Blässe.

Als ich am Putztisch jetzo die Flechten lös'te,
Dann mit nardeduftendem Kamm vor der Stirn den Haar-
Schleier teilte, – seltsam betraf mich im Spiegel Blick in
Blick.
Augen, sagt ich, ihr Augen, was wollt ihr?
Du, mein Geist, heute noch sicher behaus't da drinne,
Lebendigen Sinnen traulich vermählt,
Wie mit fremdendem Ernst, lächelnd halb, ein Dämon,
Nickst du mich an, Tod weissagend!
– Ha, da mit eins durchzuckt' es mich
Wie Wetterschein! wie wenn schwarzgefiedert ein tödlicher
Pfeil
Streifte die Schläfe hart vorbei,
Daß ich, die Hände gedeckt aufs Antlitz, lange
Staunend blieb, in die nachtschaurige Kluft schwindelnd
hinab.

Und das eigene Todesgeschick erwog ich;
Trockenen Augs noch erst,
Bis da ich dein, o Sappho, dachte,
Und der Freundinnen all,
Und anmutiger Musenkunst,
Gleich da quollen die Tränen mir.

Und dort blinkte vom Tisch das schöne Kopfnetz, dein
Geschenk,
Köstliches Byssosgeweb, von goldnen Bienlein schwärmend.
Dieses, wenn wir demnächst das blumige Fest
Feiern der herrlichen Tochter Demeters,
Möcht ich *ihr* weihn, für meinen Teil und deinen;
Daß sie hold uns bleibe (denn viel vermag sie),
Daß du zu früh dir nicht die braune Locke mögest
Für Erinna vom lieben Haupte trennen.

Scherz

Einen Morgengruß ihr früh zu bringen,
Und mein Morgenbrot bei ihr zu holen,
Geh ich sachte an des Mädchens Türe,
Öffne rasch, da steht mein schlankes Bäumchen
Vor dem Spiegel schon und wascht sich emsig.
O wie lieblich träuft die weiße Stirne,
Träuft die Rosenwange Silbernässe!
Hangen aufgelöst die süßen Haare!
Locker spielen Tücher und Gewänder.
Aber wie sie zagt und scheucht und abwehrt!
Gleich, sogleich soll ich den Rückzug nehmen!
Närrchen, rief ich, sei mir so kein Närrchen:
Das ist Brautrecht, ist Verlobtensitte.
Laß mich nur, ich will ja blind und lahm sein,
Will den Kopf und alle beiden Augen
In die Fülle deiner Locken stecken,
Will die Hände mit den Flechten binden –
»Nein, du gehst!« Im Winkel laß mich stehen,
Dir bescheidentlich den Rücken kehren!
»Ei, so mags, damit ich Ruhe habe!«

Und ich stand gehorsam in der Ecke,
Lächerlich, wie ein gestrafter Junge,
Der die Lektion nicht wohl bestanden,
Muckste nicht und kühlte mir die Lippen
An der weißen Wand mit leisem Kusse,
Eine volle, eine lange Stunde;
Ja, so wahr ich lebe. Doch, wer etwa
Einen kleinen Zweifel möchte haben
(Was ich ihm just nicht verargen dürfte),
Nun, der frage nur das Mädchen selber:
Die wird ihn – noch zierlicher belügen.

Abreise

Fertig schon zur Abfahrt steht der Wagen,
Und das Posthorn bläst zum letztenmale.
Sagt, wo bleibt der vierte Mann so lange?
Ruft ihn, soll er nicht dahinten bleiben!
– Indes fällt ein rascher Sommerregen;
Eh man hundert zählt, ist er vorüber;
Fast zu kurz, den heißen Staub zu löschen;
Doch auch diese Letzung ist willkommen.
Kühlung füllt und Wohlgeruch den weiten
Platz und an den Häusern ringsum öffnet
Sich ein Blumenfenster um das andre.
Endlich kommt der junge Mann. Geschwinde!
Eingestiegen! – Und fort rollt der Wagen.
Aber sehet, auf dem nassen Pflaster
Vor dem Posthaus, wo er stillgehalten,
Läßt er einen trocknen Fleck zurücke,
Lang und breit, sogar die Räder sieht man
Angezeigt und wo die Pferde standen.
Aber dort in jenem hübschen Hause,
Drin der Jüngling sich so lang verweilte,
Steht ein Mädchen hinterm Fensterladen,
Blicket auf die weiß gelassne Stelle,
Hält ihr Tüchlein vors Gesicht und weinet.
Mag es ihr so ernst sein? Ohne Zweifel;
Doch der Jammer wird nicht lange währen:
Mädchenaugen, wißt ihr, trocknen hurtig,
Und eh auf dem Markt die Steine wieder
Alle hell geworden von der Sonne,
Könnet ihr den Wildfang lachen hören.

Septembermorgen

Im Nebel ruhet noch die Welt,
Noch träumen Wald und Wiesen:
Bald siehst du, wenn der Schleier fällt,
Den blauen Himmel unverstellt,
Herbstkräftig die gedämpfte Welt
In warmem Golde fließen.

Verborgenheit

Laß, o Welt, o laß mich sein!
Locket nicht mit Liebesgaben,
Laßt dies Herz alleine haben
Seine Wonne, seine Pein!

Was ich traure weiß ich nicht,
Es ist unbekanntes Wehe;
Immerdar durch Tränen sehe
Ich der Sonne liebes Licht.

Oft bin ich mir kaum bewußt,
Und die helle Freude zücket
Durch die Schwere, so mich drücket
Wonniglich in meiner Brust.

Laß, o Welt, o laß mich sein!
Locket nicht mit Liebesgaben,
Laßt dies Herz alleine haben
Seine Wonne, seine Pein!

Früh im Wagen

Es graut vom Morgenreif
In Dämmerung das Feld,
Da schon ein blasser Streif
Den fernen Ost erhellt;

Man sieht im Lichte bald
Den Morgenstern vergehn,
Und doch am Fichtenwald
Den vollen Mond noch stehn:

So ist mein scheuer Blick,
Den schon die Ferne drängt,
Noch in das Schmerzensglück
Der Abschiedsnacht versenkt.

Dein blaues Auge steht
Ein dunkler See vor mir,
Dein Kuß, dein Hauch umweht,
Dein Flüstern mich noch hier.

An deinem Hals begräbt
Sich weinend mein Gesicht,
Und Purpurschwärze webt
Mir vor dem Auge dicht.

Die Sonne kommt; – sie scheucht
Den Traum hinweg im Nu,
Und von den Bergen streicht
Ein Schauer auf mich zu.

Denk es, o Seele!

Ein Tännlein grünet wo,
Wer weiß, im Walde,
Ein Rosenstrauch, wer sagt,
In welchem Garten?
Sie sind erlesen schon,
Denk es, o Seele,
Auf deinem Grab zu wurzeln
Und zu wachsen.

Zwei schwarze Rößlein weiden
Auf der Wiese,
Sie kehren heim zur Stadt
In muntern Sprüngen.
Sie werden schrittweis gehn
Mit deiner Leiche;
Vielleicht, vielleicht noch eh
An ihren Hufen
Das Eisen los wird,
Das ich blitzen sehe!

Peregrina

Aus: Maler Nolten

I

Der Spiegel dieser treuen, braunen Augen
Ist wie von innerm Gold ein Widerschein;
Tief aus dem Busen scheint ers anzusaugen,
Dort mag solch Gold in heilgem Gram gedeihn.
In diese Nacht des Blickes mich zu tauchen,
Unwissend Kind, du selber lädst mich ein –
Willst, ich soll kecklich mich und dich entzünden,
Reichst lächelnd mir den Tod im Kelch der Sünden!

II

Aufgeschmückt ist der Freudensaal.
Lichterhell, bunt, in laulicher Sommernacht
Stehet das offene Gartengezelte.
Säulengleich steigen, gepaart,
Grün-umranket, eherne Schlangen,
Zwölf, mit verschlungenen Hälsen,
Tragend und stützend das
Leicht gegitterte Dach.

Aber die Braut noch wartet verborgen
In dem Kämmerlein ihres Hauses.
Endlich bewegt sich der Zug der Hochzeit,
Fackeln tragend,
Feierlich stumm.
Und in der Mitte,
Mich an der rechten Hand,
Schwarz gekleidet, geht einfach die Braut;
Schön gefaltet ein Scharlachtuch
Liegt um den zierlichen Kopf geschlagen.
Lächelnd geht sie dahin; das Mahl schon duftet.

Später im Lärmen des Fests
Stahlen wir seitwärts uns beide
Weg, nach den Schatten des Gartens wandelnd,
Wo im Gebüsche die Rosen brannten,
Wo der Mondstrahl um Lilien zuckte,
Wo die Weymouthsfichte mit schwarzem Haar
Den Spiegel des Teiches halb verhängt.

Auf seidnem Rasen dort, ach, Herz am Herzen,
Wie verschlangen, erstickten meine Küsse den scheueren Kuß!
Indes der Springquell, unteilnehmend
An überschwänglicher Liebe Geflüster,
Sich ewig des eigenen Plätscherns freute;

Uns aber neckten von fern und lockten
Freundliche Stimmen,
Flöten und Saiten umsonst.

Ermüdet lag, zu bald für mein Verlangen,
Das leichte, liebe Haupt auf meinem Schoß.
Spielender Weise mein Aug auf ihres drückend
Fühlt ich ein Weilchen die langen Wimpern,
Bis der Schlaf sie stellte,
Wie Schmetterlingsgefieder auf und nieder gehn.

Eh das Frührot schien,
Eh das Lämpchen erlosch im Brautgemache,
Weckt ich die Schläferin,
Führte das seltsame Kind in mein Haus ein.

III

Ein Irrsal kam in die Mondscheingärten
Einer einst heiligen Liebe.
Schaudernd entdeckt ich verjährten Betrug.
Und mit weinendem Blick, doch grausam,
Hieß ich das schlanke,
Zauberhafte Mädchen
Ferne gehen von mir.
Ach, ihre hohe Stirn,
War gesenkt, denn sie liebte mich;
Aber sie zog mit Schweigen
Fort in die graue
Welt hinaus.

Krank seitdem,
Wund ist und wehe mein Herz.
Nimmer wird es genesen!

Als ginge, luftgesponnen, ein Zauberfaden
Von ihr zu mir, ein ängstig Band,
So zieht es, zieht mich schmachtend ihr nach!
– Wie? wenn ich eines Tags auf meiner Schwelle
Sie sitzen fände, wie einst, im Morgen-Zwielicht,
Das Wanderbündel neben ihr,
Und ihr Auge, treuherzig zu mir aufschauend,
Sagte, da bin ich wieder
Hergekommen aus weiter Welt!

IV

Warum, Geliebte, denk ich dein
Auf einmal nun mit tausend Tränen,
Und kann gar nicht zufrieden sein,
Und will die Brust in alle Weite dehnen?

Ach, gestern in den hellen Kindersaal,
Beim Flimmer zierlich aufgesteckter Kerzen,
Wo ich mein selbst vergaß in Lärm und Scherzen,
Tratst du, o Bildnis mitleid-schöner Qual;
Es war dein Geist, er setzte sich ans Mahl,
Fremd saßen wir mit stumm verhaltnen Schmerzen;
Zuletzt brach ich in lautes Schluchzen aus,
Und Hand in Hand verließen wir das Haus.

V

Die Liebe, sagt man, steht am Pfahl gebunden,
Geht endlich arm, zerrüttet, unbeschuht;
Dies edle Haupt hat nicht mehr, wo es ruht,
Mit Tränen netzet sie der Füße Wunden.

Ach, Peregrinen hab ich so gefunden!
Schön war ihr Wahnsinn, ihrer Wange Glut,

Noch scherzend in der Frühlingsstürme Wut,
Und wilde Kränze in das Haar gewunden.

Wars möglich, solche Schönheit zu verlassen?
– So kehrt nur reizender das alte Glück!
O komm, in diese Arme dich zu fassen!

Doch weh! o weh! was soll mir dieser Blick?
Sie küßt mich zwischen Lieben noch und Hassen,
Sie kehrt sich ab, und kehrt mir nie zurück.

Um Mitternacht

Gelassen stieg die Nacht ans Land,
Lehnt träumend an der Berge Wand,
Ihr Auge sieht die goldne Waage nun
Der Zeit in gleichen Schalen stille ruhn;
Und kecker rauschen die Quellen hervor,
Sie singen der Mutter, der Nacht, ins Ohr
Vom Tage,
Vom heute gewesenen Tage.

Das uralt alte Schlummerlied,
Sie achtets nicht, sie ist es müd;
Ihr klingt des Himmels Bläue süßer noch,
Der flüchtgen Stunden gleichgeschwungnes Joch.
Doch immer behalten die Quellen das Wort,
Es singen die Wasser im Schlafe noch fort
Vom Tage,
Vom heute gewesenen Tage.

Trost

Ja, mein Glück, das lang gewohnte,
Endlich hat es mich verlassen!
– Ja, die liebsten Freunde seh ich
Achselzuckend von mir weichen,
Und die gnadenreichen Götter,
Die am besten Hülfe wüßten,
Kehren höhnisch mir den Rücken.
Was beginnen? Werd ich etwa,
Meinen Lebenstag verwünschend,
Rasch nach Gift und Messer greifen?
Das sei ferne! Vielmehr muß man
Stille sich im Herzen fassen.

Und ich sprach zu meinem Herzen:
Laß uns fest zusammenhalten!
Denn wir kennen uns einander,
Wie ihr Nest die Schwalbe kennet,
Wie die Zither kennt den Sänger,
Wie sich Schwert und Schild erkennen,
Schild und Schwert einander lieben.
Solch ein Paar, wer scheidet es?

Als ich dieses Wort gesprochen,
Hüpfte mir das Herz im Busen,
Das noch erst geweinet hatte.

Auf einer Wanderung

In ein freundliches Städtchen tret ich ein,
In den Straßen liegt roter Abendschein.
Aus einem offnen Fenster eben,
Über den reichsten Blumenflor
Hinweg, hört man Goldglockentöne schweben,

Und *eine* Stimme scheint ein Nachtigallenchor,
Daß die Blüten beben,
Daß die Lüfte leben,
Daß in höherem Rot die Rosen leuchten vor.

Lang hielt ich staunend, lustbeklommen.
Wie ich hinaus vors Tor gekommen,
Ich weiß es wahrlich selber nicht.
Ach hier, wie liegt die Welt so licht!
Der Himmel wogt in purpurnem Gewühle,
Rückwärts die Stadt in goldnem Rauch;
Wie rauscht der Erlenbach, wie rauscht im Grund die Mühle!
Ich bin wie trunken, irrgeführt –
O Muse, du hast mein Herz berührt
Mit einem Liebeshauch!

Der Genesene an die Hoffnung

Tödlich graute mir der Morgen:
Doch schon lag mein Haupt, wie süß!
Hoffnung, dir im Schoß verborgen,
Bis der Sieg gewonnen hieß.
Opfer bracht ich allen Göttern,
Doch vergessen warest du;
Seitwärts von den ewgen Rettern
Sahest du dem Feste zu.

O vergib, du Vielgetreue!
Tritt aus deinem Dämmerlicht,
Daß ich dir ins ewig neue,
Mondenhelle Angesicht
Einmal schaue, recht von Herzen,
Wie ein Kind und sonder Harm;
Ach, nur *einmal* ohne Schmerzen
Schließe mich in deinen Arm!

Wald-Idylle

An J. M.

Unter die Eiche gestreckt, im jung belaubten Gehölze
Lag ich, ein Büchlein vor mir, das mir das lieblichste bleibt,
Alle die Märchen erzählts, von der Gänsemagd und vom Machandel-
Baum und des Fischers Frau; wahrlich man wird sie nicht satt.
Grünlicher Maienschein warf mir die geringelten Lichter
Auf das beschattete Buch, neckische Bilder zum Text.
Schläge der Holzaxt hört ich von fern, ich hörte den Kukuk,
Und das Gelispel des Bachs wenige Schritte vor mir.
Märchenhaft fühlt ich mich selbst, mit aufgeschlossenen Sinnen
Sah ich, wie helle! den Wald, rief mir der Kukuk, wie fremd!
Plötzlich da rauscht es im Laub, – wird doch Sneewittchen nicht kommen,
Oder, bezaubert, ein Reh? Nicht doch, kein Wunder geschieht.
Siehe, mein Nachbarskind aus dem Dorf, mein artiges Schätzchen!
Müßig lief es in Wald, weil es den Vater dort weiß.
Ehrbar setzet es sich an meine Seite, vertraulich
Plaudern wir dieses und das, und ich erzähle sofort
Gar ausführlich die Leiden des unvergleichlichen Mädchens,
Welchem der Tod dreimal, ach, durch die Mutter gedroht.
Denn die eitle, die Königin, haßte sie, weil sie so schön war,
Grimmig, da mußte sie fliehn, wohnte bei Zwergen sich ein.
Aber die Königin findet sie bald; sie klopfet am Hause,

Bietet, als Krämerin, schlau, lockende Ware zu Kauf.
Arglos öffnet das Kind, den Rat der Zwerge vergessend,
Und das Liebchen empfängt, weh; den vergifteten
Kamm.
Welch ein Jammer, da nun die Kleinen nach Hause
gekehrt sind!
Welcher Künste bedarfs, bis die Erstarrte erwacht!
Doch zum zweitenmal kommt, zum dritten Male,
verkleidet,
Kommt die Verderberin, leicht hat sie das Mädchen
beschwatzt,
Schnürt in das zierliche Leibchen sie ein, den Atem
erstickend
In dem Busen; zuletzt bringt sie die tödliche Frucht.
Nun ist alle Hilfe umsonst; wie weinen die Zwerge!
Ein kristallener Sarg schließet die Ärmste nun ein,
Frei gestellt auf den Berg, ein Anblick allen Gestirnen;
Unverwelklich ruht innen die süße Gestalt.
– So weit war ich gekommen, da drang aus dem nächsten
Gebüsche
Hinter mir Nachtigallschlag herrlich auf einmal hervor,
Troff wie Honig durch das Gezweig und sprühte wie
Feuer
Zackige Töne; mir traf freudig ein Schauer das Herz,
Wie wenn der Göttinnen eine, vorüberfliehend, dem
Dichter
Durch ambrosischen Duft ihre Begegnung verrät.
Leider verstummte die Sängerin bald, ich horchte noch
lange,
Doch vergeblich, und so bracht ich mein Märchen zum
Schluß. –
Jetzo deutet das Kind und ruft: »Margrete! da kommt sie
Schon! In dem Korb, siehst du, bringt sie dem Vater die
Milch!«
Und durch die Lücke sogleich erkenn ich die ältere
Schwester;
Von der Wiese herauf beugt nach dem Walde sie ein,

Rüstig, die bräunliche Dirne; ihr brennt auf der Wange der Mittag;
Gern erschreckten wir sie, aber sie grüßet bereits.
»Haltets mit, wenn Ihr mögt! es ist heiß, da mißt man die Suppe
Und den Braten zur Not, fett ist und kühle mein Mahl.«
Und ich sträubte mich nicht, wir folgten dem Schalle der Holzaxt;
Statt des Kindes wie gern hätt ich die Schwester geführt!
Freund! du ehrest die Muse, die jene Märchen vor alters
Wohl zu Tausenden sang; aber nun schweiget sie längst,
Die am Winterkamin, bei der Schnitzbank, oder am Webstuhl
Dichtendem Volkswitz oft köstliche Nahrung gereicht.
Ihr Feld ist das Unmögliche; keck, leichtfertig verknüpft sie
Jedes Entfernteste, reicht lustig dem Blöden den Preis.
Sind drei Wünsche erlaubt, ihr Held wird das Albernste wählen;
Ihr zu Ehren sei dir nun das Geständnis getan,
Wie an der Seite der Dirne, der vielgesprächigen, leise
Im bewegten Gemüt brünstig der Wunsch mich beschlich:
Wär ich ein Jäger, ein Hirt, wär ich ein Bauer geboren,
Trüg ich Knüttel und Beil, wärst, Margarete, mein Weib!
Nie da beklagt ich die Hitze des Tags, ich wollte mich herzlich
Auch der rauheren Kost, wenn *du* sie brächtest, erfreun.
O wie herrlich begegnete jeglichen Morgen die Sonne
Mir, und das Abendrot über dem reifenden Feld!
Balsam würde mein Blut im frischen Kusse des Weibes,
Kraftvoll blühte mein Haus, doppelt, in Kindern empor.
Aber im Winter, zu Nacht, wenn es schneit und stöbert, am Ofen,
Rief' ich, o Muse, dich auch, märchenerfindende, an!

Im Weinberg

Droben im Weinberg, unter dem blühenden Kirschbaum saß ich
Heut, einsam in Gedanken vertieft; es ruhte das Neue
Testament halboffen mir zwischen den Fingern im Schoße,
Klein und zierlich gebunden: (es kam vom treuesten Herzen –
Ach! du ruhest nun auch, mir unvergessen, im Grabe!)
Lang so saß ich und blickte nicht auf; mit einem da läßt sich
Mir ein Schmetterling nieder aufs Buch, er hebet und senket
Dunkele Flügel mit schillerndem Blau, er dreht sich und wandelt
Hin und her auf dem Rande. Was suchst du, reizender Sylphe?
Lockte die purpurne Decke dich an, der glänzende Goldschnitt?
Sahst du, getäuscht, im Büchlein die herrlichste Wunderblume?
Oder zogen geheim dich himmlische Kräfte hernieder
Des lebendigen Worts? Ich muß so glauben, denn immer
Weilest du noch, wie gebannt, und scheinst wie trunken, ich staune!
Aber von nun an bist du auf alle Tage gesegnet!
Unverletzlich dein Leib, und es altern dir nimmer die Schwingen;
Ja, wohin du künftig die zarten Füße wirst setzen,
Tauet Segen von dir. Jetzt eile hinunter zum Garten,
Welchen das beste der Mädchen besucht am frühesten Morgen,
Eile zur Lilie du – alsbald wird die Knospe sich öffnen
Unter dir; dann küsse sie tief in den Busen: von Stund an
Göttlich befruchtet, atmet sie Geist und himmlisches Leben.

Wenn die Gute nun kommt, vor den hohen Stengel getreten,
Steht sie befangen, entzückt von paradiesischer Nähe,
Ahnungsvoll in den Kelch die liebliche Seele versenkend.

Am Rheinfall

Halte dein Herz, o Wanderer, fest in gewaltigen Händen!
  Mir entstürzte vor Lust zitternd das meinige fast.
Rastlos donnernde Massen auf donnernde Massen geworfen,
  Ohr und Auge wohin retten sie sich im Tumult?
Wahrlich, den eigenen Wutschrei hörete nicht der Gigant hier,
  Läg er, vom Himmel gestürzt, unten am Felsen gekrümmt!
Rosse der Götter, im Schwung, eins über dem Rücken des andern,
  Stürmen herunter und streun silberne Mähnen umher;
Herrliche Leiber, unzählbare, folgen sich, nimmer dieselben,
  Ewig dieselbigen – wer wartet das Ende wohl aus?
Angst umzieht dir den Busen mit eins, und, *wie* du es denkest,
  Über das Haupt stürzt dir krachend das Himmelsgewölb!

Vicia faba minor

Fort mit diesem Geruch, dem zauberhaften: Er mahnt mich
  An die Haare, die mir einst alle Sinne bestrickt.
Weg mit dieser Blüte, der schwarz und weißen! Sie sagt mir,
  Daß die Verführerin, ach! schwer mit dem Tode gebüßt.

Zwiespalt

Nach Catull

Hassen und lieben zugleich muß ich. – Wie das? – Wenn ichs wüßte!
Aber ich fühls, und das Herz möchte zerreißen in mir.

An meine Mutter

Siehe, von allen den Liedern nicht *eines* gilt dir, o Mutter!
Dich zu preisen, o glaubs, bin ich zu arm und zu reich.
Ein noch ungesungenes Lied ruhst du mir im Busen,
Keinem vernehmbar sonst, mich nur zu trösten bestimmt,
Wenn sich das Herz unmutig der Welt abwendet und einsam
Seines himmlischen Teils bleibenden Frieden bedenkt.

An Karl Mayer

Dem gefangenen, betrübten Manne
Hinter seinen dichten Eisenstäben,
Wenn ihm jemand deine holden Lieder
Aufs Gesimse seines Fensters legte,
Wo die liebe Sonne sich ein Stündlein
Täglich einstellt, handbreit nur ein Streifchen:
O wie schimmerten ihm Wald und Auen
Sommerlich, die stillen Wiesengründe!
O wie hastig irrten seine Schritte
Durch die tausend Lieblichkeiten alle,
Ohne Wahl, was er zuerst begrüße:
Ob das Dörflein in der Sonntagfrühe,

Wo die frische Dirne sich im Gärtchen
Einen Busenstrauß zur Kirche holet;
Ob die Trümmer, wo das Laub der Birke
Herbstlich rieselt aufs Gestein hernieder,
Drüberhin der Weih im Fluge schreiend;
Und den See dort einsam in der Wildnis,
Übergrünt von lichten Wasserlinsen.

Wär ich, wär ich selber der Gefangne!
Sperrten sie mich ein auf sieben Monde!
Herzlich wollt ich dann des Schließers lachen,
Wenn er dreifach meine Tür verschlösse,
Mich allein mit meinem Büchlein lassend.

Aber wenn doch endlich insgeheime
Eine tiefe Sehnsucht mich beschliche,
Daß ich trauerte um Wald und Wiesen?
Ha! wie sehn ich mich, mich so zu sehnen!
Reizend wärs, den Jäger zu beneiden,
Der in Freiheit atmet Waldesatem,
Und den Hirten, wenn er nach Mittage
Ruhig am besonnten Hügel lehnet!

Sieh, so seltsam sind des Herzens Wünsche,
Das sich müßig fühlt im Überflusse.

Eberhard Wächter

In seine hohen Wände eingeschlossen,
Mit traurig schönen Geistern im Verkehr,
Gestärkt am reinen Atem des Homer,
Von Goldgewölken Attikas umflossen:

Also vor seinen Tüchern unverdrossen,
Fern von dem Markt der Künste, sitzet er;

Kein Neid verletzt, kein Ruhm berauscht ihn mehr.
Ihm blüht ein Kranz bei herrlichern Genossen.

O kommt und schaut ein selig Künstlerleben!
Besuchet ihn am abendlichen Herd,
Wenn diese Stirne, sich der Wunderschwingen

Des Genius erwehrend, sich nur eben
Erheitert zu dem Alltagskreise kehrt,
Den Weib und Kinder scherzend um ihn schlingen.

Zum neuen Jahr

Kirchengesang

Melodie aus Axur: Wie dort auf den Auen

Wie heimlicher Weise
Ein Engelein leise
Mit rosigen Füßen
Die Erde betritt,
So nahte der Morgen,
Jauchzt ihm, ihr Frommen,
Ein heilig Willkommen,
Ein heilig Willkommen!
Herz, jauchze du mit!

In Ihm sei's begonnen,
Der Monde und Sonnen
An blauen Gezelten
Des Himmels bewegt.
Du, Vater, du rate!
Lenke du und wende!
Herr, dir in die Hände
Sei Anfang und Ende,
Sei alles gelegt!

Auf ein altes Bild

In grüner Landschaft Sommerflor,
Bei kühlem Wasser, Schilf und Rohr,
Schau, wie das Knäblein Sündelos
Frei spielet auf der Jungfrau Schoß!
Und dort im Walde wonnesam,
Ach, grünet schon des Kreuzes Stamm!

Schlafendes Jesuskind

gemalt von Franc. Albani

Sohn der Jungfrau, Himmelskind! am Boden
Auf dem Holz der Schmerzen eingeschlafen,
Das der fromme Meister sinnvoll spielend
Deinen leichten Träumen unterlegte;
Blume du, noch in der Knospe dämmernd
Eingehüllt die Herrlichkeit des Vaters!
O wer sehen könnte, welche Bilder
Hinter dieser Stirne, diesen schwarzen
Wimpern, sich in sanftem Wechsel malen!

Auf eine Christblume

I

Tochter des Walds, du Lilienverwandte,
So lang von mir gesuchte, unbekannte,
Im fremden Kirchhof, öd und winterlich,
Zum erstenmal, o schöne, find ich dich!

Von welcher Hand gepflegt du hier erblühtest,
Ich weiß es nicht, noch wessen Grab du hütest;
Ist es ein Jüngling, so geschah ihm Heil,
Ists eine Jungfrau, lieblich fiel ihr Teil.

Im nächtgen Hain, von Schneelicht überbreitet,
Wo fromm das Reh an dir vorüberweidet,
Bei der Kapelle, am kristallnen Teich,
Dort sucht ich deiner Heimat Zauberreich.

Schön bist du, Kind des Mondes, nicht der Sonne;
Dir wäre tödlich andrer Blumen Wonne,
Dich nährt, den keuschen Leib voll Reif und Duft,
Himmlischer Kälte balsamsüße Luft.

In deines Busens goldner Fülle gründet
Ein Wohlgeruch, der sich nur kaum verkündet;
So duftete, berührt von Engelshand,
Der benedeiten Mutter Brautgewand.

Dich würden, mahnend an das heilge Leiden,
Fünf Purpurtropfen schön und einzig kleiden:
Doch kindlich zierst du, um die Weihnachtszeit,
Lichtgrün mit einem Hauch dein weißes Kleid.

Der Elfe, der in mitternächtger Stunde
Zum Tanze geht im lichterhellen Grunde,
Vor deiner mystischen Glorie steht er scheu
Neugierig still von fern und huscht vorbei.

II

Im Winterboden schläft, ein Blumenkeim,
Der Schmetterling, der einst um Busch und Hügel
In Frühlingsnächten wiegt den samtnen Flügel;
Nie soll er kosten deinen Honigseim.

Wer aber weiß, ob nicht sein zarter Geist,
Wenn jede Zier des Sommers hingesunken,
Dereinst, von deinem leisen Dufte trunken,
Mir unsichtbar, dich blühende umkreist?

Sehnsucht

In dieser Winterfrühe
Wie ist mir doch zumut!
O Morgenrot, ich glühe
Von deinem Jugendblut.

Es glüht der alte Felsen,
Und Wald und Burg zumal,
Berauschte Nebel wälzen
Sich jäh hinab das Tal.

Mit tatenfroher Eile
Erhebt sich Geist und Sinn,
Und flügelt goldne Pfeile
Durch alle Ferne hin.

Auf Zinnen möcht ich springen,
In alter Fürsten Schloß,
Möcht hohe Lieder singen,
Mich schwingen auf das Roß!

Und stolzen Siegeswagen
Stürzt ich mich brausend nach,
Die Harfe wird zerschlagen,
Die nur von Liebe sprach.

– Wie? schwärmst du so vermessen,
Herz, hast du nicht bedacht,
Hast du mit eins vergessen,
Was dich so trunken macht?

Ach, wohl! was aus mir singet,
Ist nur der Liebe Glück!
Die wirren Töne schlinget
Sie sanft in sich zurück.

Was hilft, was hilft mein Sehnen?
Geliebte, wärst du hier!
In tausend Freudetränen
Verging' die Erde mir.

Am Walde

Am Waldsaum kann ich lange Nachmittage,
Dem Kukuk horchend, in dem Grase liegen;
Er scheint das Tal gemächlich einzuwiegen
Im friedevollen Gleichklang seiner Klage.

Da ist mir wohl, und meine schlimmste Plage,
Den Fratzen der Gesellschaft mich zu fügen,
Hier wird sie mich doch endlich nicht bekriegen,
Wo ich auf eigne Weise mich behage.

Und wenn die feinen Leute nur erst dächten,
Wie schön Poeten ihre Zeit verschwenden,
Sie würden mich zuletzt noch gar beneiden.

Denn des Sonetts gedrängte Kränze flechten
Sich wie von selber unter meinen Händen,
Indes die Augen in der Ferne weiden.

Nur zu!

Schön prangt im Silbertau die junge Rose,
Den ihr der Morgen in den Busen rollte,

Sie blüht, als ob sie nie verblühen wollte,
Sie ahnet nichts vom letzten Blumenlose.

Der Adler strebt hinan ins Grenzenlose,
Sein Auge trinkt sich voll von sprühndem Golde;
Er ist der Tor nicht, daß er fragen sollte,
Ob er das Haupt nicht an die Wölbung stoße.

Mag denn der Jugend Blume uns verbleichen,
Noch glänzet sie und reizt unwiderstehlich;
Wer will zu früh so süßem Trug entsagen?

Und Liebe, darf sie nicht dem Adler gleichen?
Doch fürchtet sie; auch fürchten ist ihr selig,
Denn all ihr Glück, was ists? – ein endlos Wagen!

An die Geliebte

Wenn ich, von deinem Anschaun tief gestillt,
Mich stumm an deinem heilgen Wert vergnüge,
Dann hör ich recht die leisen Atemzüge
Des Engels, welcher sich in dir verhüllt.

Und ein erstaunt, ein fragend Lächeln quillt
Auf meinem Mund, ob mich kein Traum betrüge,
Daß nun in dir, zu ewiger Genüge,
Mein kühnster Wunsch, mein einzger, sich erfüllt?

Von Tiefe dann zu Tiefen stürzt mein Sinn,
Ich höre aus der Gottheit nächtger Ferne
Die Quellen des Geschicks melodisch rauschen.

Betäubt kehr ich den Blick nach oben hin,
Zum Himmel auf – da lächeln alle Sterne;
Ich kniee, ihrem Lichtgesang zu lauschen.

Neue Liebe

Kann auch ein Mensch des andern auf der Erde
Ganz, wie er möchte, sein?
– In langer Nacht bedacht ich mirs, und mußte sagen, nein!

So kann ich niemands heißen auf der Erde,
Und niemand wäre mein?
– Aus Finsternissen hell in mir aufzückt ein Freudenschein:

Sollt ich mit Gott nicht können sein,
So wie ich möchte, Mein und Dein?
Was hielte mich, daß ichs nicht heute werde?

Ein süßes Schrecken geht durch mein Gebein!
Mich wundert, daß es mir ein Wunder wollte sein,
Gott selbst zu eigen haben auf der Erde!

Seufzer

Jesu benigne!
A cujus igne
Opto flagrare
Et Te amare:
Cur non flagravi?
Cur non amavi
Te, Jesu Christe?
– O frigus triste!

(Altes Lied)

Dein Liebesfeuer,
Ach Herr! wie teuer
Wollt ich es hegen,
Wollt ich es pflegen!
Habs nicht geheget

Und nicht gepfleget,
Bin tot im Herzen –
O Höllenschmerzen!

Gebet

Herr! schicke, was du willt,
Ein Liebes oder Leides;
Ich bin vergnügt, daß beides
Aus Deinen Händen quillt.

Wollest mit Freuden
Und wollest mit Leiden
Mich nicht überschütten!
Doch in der Mitten
Liegt holdes Bescheiden.

Die Elemente

Ἡ γὰρ ἀποκαραδοκία τῆς κτίσεως τὴν ἀποκάλυψιν τῶν υἱῶν τοῦ θεοῦ ἀπεκδέχεται.

Paulus a. d. Röm. 8,19

Am schwarzen Berg da steht der Riese,
Steht hoch der Mond darüber her;
Die weißen Nebel auf der Wiese
Sind Wassergeister aus dem Meer:
Ihrem Gebieter nachgezogen
Vergiften sie die reine Nacht,
Aus deren hoch geschwungnem Bogen
Das volle Heer der Sterne lacht.

Still schaut der Herr auf seine Geister,
Die Faust am Herzen fest geballt;
Er heißt der Elemente Meister,
Heißt Herr der tödlichen Gewalt;
Ein Gott hat sie ihm übergeben,
Ach, ihm die schmerzenreichste Lust!
Und namenlose Seufzer heben
Die ehrne, göttergleiche Brust.

Die Keule schwingt er jetzt, die alte,
Vom Schlage dröhnt der Erde Rund,
Dann springt durch die gewaltge Spalte
Der Riesenkörper in den Grund.
Die fest verschloßnen Feuer tauchen
Hoch aus uraltem Schlund herauf,
Da fangen Wälder an zu rauchen,
Und prasseln wild im Sturme auf.

Er aber darf nicht still sich fühlen,
Beschaulich im verborgnen Schacht,
Wo Gold und Edelsteine kühlen,
Und hellen Augs der Elfe wacht:
Brünstig verfolgt er, rastlos wütend,
Der Gottheit grauenvolle Spur,
Des Busens Angst nicht überbietend
Mit allen Schrecken der Natur.

Soll er den Flug von hundert Wettern
Laut donnernd durcheinander ziehn,
Des Menschen Hütte niederschmettern,
Aufs Meerschiff sein Verderben sprühn,
Da will das edle Herz zerreißen,
Da sieht er schrecklich sich allein;
Und doch kann er nicht würdig heißen,
Mit Göttern ganz ein Gott zu sein.

Noch aber blieb ihm *eine* Freude,
Nachdem er Land und Meer bewegt,

Wenn er bei Nacht auf öder Heide
Die Sehnsucht seiner Seele pflegt.
Da hängen ungeheure Ketten
Aus finstrem Wolkenraum herab,
Dran er, als müßten sie ihn retten,
Sich schwingt zum Himmel auf und ab.

Dort weilen rosige Gestalten
In heitern Höhen, himmlisch klar,
Und fest am goldnen Ringe halten
Sie schwesterlich das Kettenpaar;
Sie liegen ängstlich auf den Knieen
Und sehen sanft zum wilden Spiel,
Und wie sie im Gebete glühen,
Löst, wie ein Traum, sich sein Gefühl.

Denn ihr Gesang tönt mild und leise,
Er rührt beruhigend sein Ohr:
O folge harmlos deiner Weise,
Dazu Allvater dich erkor!
Dem Wort von Anfang muß du trauen,
In ihm laß deinen Willen ruhn!
Das Tiefste wirst du endlich schauen,
Begreifen lernen all dein Tun.

Und wirst nicht länger menschlich hadern,
Wirst schaun der Dinge heilge Zahl,
Wie in der Erde warmen Adern,
Wie in dem Frühlingssonnenstrahl,
Wie in des Sturmes dunkeln Falten
Des Vaters göttlich Wesen schwebt,
Den Faden freundlicher Gewalten,
Das Band geheimer Eintracht webt.

Einst wird es kommen, daß auf Erden
Sich höhere Geschlechter freun,
Und heitre Angesichter werden

Des Ewigschönen Spiegel sein,
Wo aller Engelsweisheit Fülle
Der Menschengeist in sich gewahrt,
In neuer Sprachen Kinderhülle
Sich alles Wesen offenbart.

Und auch die Elemente mögen,
Die gottversöhnten, jede Kraft
In Frieden auf und nieder regen,
Die nimmermehr Entsetzen schafft;
Dann, wie aus Nacht und Duft gewoben,
Vergeht dein Leben unter dir,
Mit lichtem Blick steigst du nach oben,
Denn in der Klarheit wandeln wir.

Schiffer- und Nixen-Märchen

I. Vom Sieben-Nixen-Chor

Manche Nacht im Mondenscheine
Sitzt ein Mann von ernster Schöne,
Sitzt der Magier Drakone,
Auf dem Gartenhausbalkone,
Mit Prinzessin Liligi;
Lehrt sie allda seine Lehre
Von der Erde, von dem Himmel,
Von dem Traum der Elemente,
Vom Geschick im Sternenkreise.

Laß es aber nun genug sein!
Mitternacht ist lang vorüber –
Spricht Prinzessin Liligi –
Und nach solchen Wunderdingen,
Mächtigen und ungewohnten,

Lüstet mich nach Kindermärchen,
Lieber Mann, ich weiß nicht wie! –

»Hörst du gern das Lied vom Winde,
Das nicht End noch Anfang hat,
Oder gern vom Königskinde,
Gerne von der Muschelstadt?«

Singe du so heut wie gestern
Von des Meeres Lustrevier,
Von dem Haus der sieben Schwestern
Und vom Königssohne mir.

»Zwischen grünen Wasserwänden
Sitzt der Sieben-Nixen-Chor;
Wasserrosen in den Händen,
Lauschen sie zum Licht empor.

Und wenn oftmals auf der Höhe
Schiffe fahren, schattengleich,
Steigt ein siebenfaches Wehe
Aus dem stillen Wasserreich.

Dann, zum Spiel kristallner Glocken,
Drehn die Schwestern sich im Tanz,
Schütteln ihre grünen Locken
Und verlieren Gurt und Kranz.

Und das Meer beginnt zu schwanken,
Well auf Welle steigt und springt,
Alle Elemente zanken
Um das Schiff, bis es versinkt.«

Also sang in Zaubertönen
Süß der Magier Drakone
Zu der lieblichen Prinzessin;
Und zuweilen, im Gesange,

Neiget er der Lippen Milde
Zu dem feuchten Rosenmunde,
Zu den hyazintheblauen,
Schon in Schlaf gesenkten Augen
Der betörten Jungfrau hin.
Diese meint im leichten Schlummer,
Immer höre sie die Lehre
Von der Erde, von dem Himmel,
Vom Geschick im Sternenkreise,
Doch zuletzt erwachet sie:

Laß es aber nun genug sein!
Mitternacht ist lang vorüber,
Und nach solchen Wunderdingen,
Mächtigen und ungewohnten,
Lüstet mich nach Kindermärchen,
Lieber Mann, ich weiß nicht wie!

»Wohl! – Schon auf des Meeres Grunde
Sitzt das Schiff mit Mann und Maus,
Und die Sieben in die Runde
Rufen: Schönster, tritt heraus!

Rufen freundlich mit Verneigen:
Komm! es soll dich nicht gereun;
Woll'n dir unsre Kammer zeigen,
Wollen deine Mägde sein.

– Sieh, da tritt vom goldnen Borde
Der betörte Königssohn,
Und zu der korallnen Pforte
Rennen sie mit ihm davon.

Doch man sah nach wenig Stunden,
Wie der Nixenbräutigam,
Tot, mit sieben roten Wunden,
Hoch am Strand des Meeres schwamm.«

Also sang in Zaubertönen
Süß der Magier Drakone;
Und zuweilen, im Gesange,
Neiget er der Lippen Milde
Zu dem feuchten Rosenmunde,
Zu den hyazintheblauen,
Schon in Schlaf gesenkten Augen
Der betörten Jungfrau hin.

Sie erwacht zum andernmale,
Sie verlanget immer wieder:
Lieber Mann, ein Kindermärchen
Singe mir zu guter Letzt!

Und er singt das letzte Märchen,
Und er küßt die letzten Küsse;
Lied und Kuß hat ausgeklungen,
Aber sie erwacht nicht mehr.
Denn schon war die dritte Woche,
Seit der Magier Drakone
Bei dem edeln Königskinde
Seinen falschen Dienst genommen;
Wohlberechnet, wohlbereitet
Kam der letzte Tag heran.

Jetzo fasset er die Leiche,
Schwingt sich hoch im Zaubermantel
Durch die Lüfte zu dem Meere,
Rauschet nieder in die Wogen,
Klopft an dem Korallentor,
Führet so die junge Fürstin,
Daß auch sie zur Nixe werde,
Als willkommene Genossin
In den Sieben-Nixen-Chor.

II. Nixe Binsefuß

Des Wassermanns sein Töchterlein
Tanzt auf dem Eis im Vollmondschein,
Sie singt und lachet sonder Scheu
Wohl an des Fischers Haus vorbei.

»Ich bin die Jungfer Binsefuß,
Und meine Fisch wohl hüten muß,
Meine Fisch die sind im Kasten,
Sie haben kalte Fasten;
Von Böhmerglas mein Kasten ist,
Da zähl ich sie zu jeder Frist.

Gelt, Fischermatz? gelt, alter Tropf,
Dir will der Winter nicht in Kopf?
Komm mir mit deinen Netzen!
Die will ich schön zerfetzen!
Dein Mägdlein zwar ist fromm und gut,
Ihr Schatz ein braves Jägerblut.

Drum häng ich ihr, zum Hochzeitstrauß,
Ein schilfen Kränzlein vor das Haus,
Und einen Hecht, von Silber schwer,
Er stammt von König Artus her,
Ein Zwergen-Goldschmieds-Meisterstück,
Wers hat, dem bringt es eitel Glück:
Er läßt sich schuppen Jahr für Jahr,
Da sinds fünfhundert Gröschlein bar.

Ade, mein Kind! Ade für heut!
Der Morgenhahn im Dorfe schreit.«

III. Zwei Liebchen

Ein Schifflein auf der Donau schwamm,
Drin saßen Braut und Bräutigam,
Er hüben und sie drüben.

Sie sprach, Herzliebster, sage mir,
Zum Angebind was geb ich dir?

Sie streift zurück ihr Ärmelein,
Sie greift ins Wasser frisch hinein.

Der Knabe, der tät gleich also,
Und scherzt mit ihr und lacht so froh.

Ach, schöne Frau Done, geb sie mir
Für meinen Schatz eine hübsche Zier!

Sie zog heraus ein schönes Schwert,
Der Knab hätt lang so eins begehrt.

Der Knab, was hält er in der Hand?
Milchweiß ein köstlich Perlenband.

Er legts ihr um ihr schwarzes Haar,
Sie sah wie eine Fürstin gar.

Ach, schöne Frau Done, geb sie mir
Für meinen Schatz eine hübsche Zier!

Sie langt hinein zum andernmal,
Faßt einen Helm von lichtem Stahl.

Der Knab vor Freud entsetzt sich schier,
Fischt ihr einen goldnen Kamm dafür.

Zum dritten sie ins Wasser griff:
Ach weh! da fällt sie aus dem Schiff.

Er springt ihr nach, erfaßt sie keck,
Frau Done reißt sie beide weg:

Frau Done hat ihr Schmuck gereut,
Das büßt der Jüngling und die Maid.

Das Schifflein leer hinunterwallt;
Die Sonne sinkt hinter die Berge bald.

Und als der Mond am Himmel stand,
Die Liebchen schwimmen tot ans Land,
Er hüben und sie drüben.

IV. Der Zauberleuchtturm

Des Zauberers sein Mägdlein saß
In ihrem Saale rund von Glas;
Sie spann beim hellen Kerzenschein,
Und sang so glockenhell darein.
Der Saal, als eine Kugel klar,
In Lüften aufgehangen war
An einem Turm auf Felsenhöh,
Bei Nacht hoch ob der wilden See,
Und hing in Sturm und Wettergraus
An einem langen Arm hinaus.
Wenn nun ein Schiff in Nächten schwer
Sah weder Rat noch Rettung mehr,
Der Lotse zog die Achsel schief,
Der Hauptmann alle Teufel rief,
Auch der Matrose wollt verzagen:
O weh mir armen Schwartenmagen!
Auf einmal scheint ein Licht von fern
Als wie ein heller Morgenstern;
Die Mannschaft jauchzet überlaut:
Heida! jetzt gilt es trockne Haut!
Aus allen Kräften steuert man

Jetzt nach dem teuren Licht hinan,
Das wächst und wächst und leuchtet fast
Wie einer Zaubersonne Glast,
Darin ein Mägdlein sitzt und spinnt,
Sich beuget ihr Gesang im Wind;
Die Männer stehen wie verzückt,
Ein jeder nach dem Wunder blickt
Und horcht und staunet unverwandt,
Dem Steuermann entsinkt die Hand,
Hat keiner Acht mehr auf das Schiff;
Das kracht mit eins am Felsenriff,
Die Luft zerreißt ein Jammerschrei:
Herr Gott im Himmel, steh uns bei!
Da löscht die Zauberin ihr Licht;
Noch einmal aus der Tiefe bricht
Verhallend Weh aus *einem* Mund;
Da zuckt das Schiff und sinkt zu Grund.

Der alte Turmhahn

Idylle

Zu Cleversulzbach im Unterland
Hundertunddreizehn Jahr ich stand,
Auf dem Kirchenturn ein guter Hahn,
Als ein Zierat und Wetterfahn.
In Sturm und Wind und Regennacht
Hab ich allzeit das Dorf bewacht.
Manch falber Blitz hat mich gestreift,
Der Frost mein' roten Kamm bereift,
Auch manchen lieben Sommertag,
Da man gern Schatten haben mag,
Hat mir die Sonne unverwandt
Auf meinen goldigen Leib gebrannt.
So ward ich schwarz für Alter ganz,

Und weg ist aller Glitz und Glanz.
Da haben sie mich denn zuletzt
Veracht't und schmählich abgesetzt.
Meinthalb! so ist der Welt ihr Lauf,
Jetzt tun sie einen andern 'nauf.
Stolzier, prachtier und dreh dich nur!
Dir macht der Wind noch andre Cour.

Ade, o Tal, du Berg und Tal!
Rebhügel, Wälder allzumal!
Herzlieber Turn und Kirchendach,
Kirchhof und Steglein übern Bach!
Du Brunnen, dahin spat und früh
Öchslein springen, Schaf' und Küh,
Hans hinterdrein kommt mit dem Stecken,
Und Bastes Evlein auf dem Schecken!
– Ihr Störch und Schwalben, grobe Spatzen,
Euch soll ich nimmer hören schwatzen!
Lieb deucht mir jedes Drecklein itzt,
Damit ihr ehrlich mich beschmitzt.
Ade, Hochwürden, Ihr Herr Pfarr,
Schulmeister auch, du armer Narr!
Aus ist, was mich gefreut so lang,
Geläut und Orgel, Sang und Klang.

Von meiner Höh so sang ich dort,
Und hätt noch lang gesungen fort,
Da kam so ein krummer Teufelshöcker,
Ich schätz, es war der Schieferdecker,
Packt mich, kriegt nach manch hartem Stoß
Mich richtig von der Stange los.
Mein alt preßhafter Leib schier brach,
Da er mit mir fuhr ab dem Dach
Und bei den Glocken schnurrt hinein;
Die glotzten sehr verwundert drein,
Regt' ihnen doch weiter nicht den Mut,
Dachten eben, wir hangen gut.

•

Jetzt tät man mich mit altem Eisen
Dem Meister Hufschmied überweisen;
Der zahlt zween Batzen und meint Wunder,
Wieviel es wär für solchen Plunder.
Und also ich selben Mittag
Betrübt vor seiner Hütte lag.
Ein Bäumlein – es war Maienzeit –
Schneeweiße Blüten auf mich streut,
Hühner gackeln um mich her,
Unachtend, was das für ein Vetter wär.
Da geht mein Pfarrherr nun vorbei,
Grüßt den Meister und lächelt: Ei,
Wärs so weit mit uns, armer Hahn?
Andrees, was fangt Ihr mit ihm an?
Ihr könnt ihn weder sieden noch braten,
Mir aber müßt es schlimm geraten,
Einen alten Kirchendiener gut
Nicht zu nehmen in Schutz und Hut.
Kommt! tragt ihn mir gleich vor ins Haus,
Trinket ein kühl Glas Wein mit aus.

Der rußig Lümmel, schnell bedacht,
Nimmt mich vom Boden auf und lacht.
Es fehlt' nicht viel, so tat ich frei
Gen Himmel einen Freudenschrei.
Im Pfarrhaus ob dem fremden Gast
War groß und klein erschrocken fast;
Bald aber in jedem Angesicht
Ging auf ein rechtes Freudenlicht.
Frau, Magd und Knecht, Mägdlein und Buben,
Den großen Göckel in der Stuben
Mit siebenfacher Stimmen Schall
Begrüßen, begucken, betasten all.
Der Gottesmann drauf mildiglich
Mit eignen Händen trägt er mich
Nach seinem Zimmer, Stiegen auf,
Nachpolteret der ganze Hauf.

Hier wohnt der Frieden auf der Schwell!
In den geweißten Wänden hell
Sogleich empfing mich sondre Luft,
Bücher- und Gelahrtenduft,
Gerani- und Resedaschmack,
Auch ein Rüchlein Rauchtabak.
(Dies war mir all noch unbekannt.)
Ein alter Ofen aber stand
In der Ecke linkerhand.
Recht als ein Turn tät er sich strecken
Mit seinem Gipfel bis zur Decken,
Mit Säulwerk, Blumwerk, kraus und spitz –
O anmutsvoller Ruhesitz!
Zu öberst auf dem kleinen Kranz
Der Schmied mich auf ein Stänglein pflanzt'.

Betrachtet mir das Werk genau!
Mir deuchts ein ganzer Münsterbau;
Mit Schildereien wohl geziert,
Mit Reimen christlich ausstaffiert.
Davon vernahm ich manches Wort,
Dieweil der Ofen ein guter Hort
Für Kind und Kegel und alte Leut,
Zu plaudern, wann es wind't und schneit.

Hier seht ihr seitwärts auf der Platten
Eines Bischofs Krieg mit Mäus und Ratten,
Mitten im Rheinstrom sein Kastell.
Das Ziefer kommt geschwommen schnell,
Die Knecht nichts richten mit Waffen und Wehr,
Der Schwänze werden immer mehr.
Viel Tausend gleich in dicken Haufen
Frech an der Mauer auf sie laufen,
Fallen dem Pfaffen in sein Gemach;
Sterben muß er mit Weh und Ach,
Von den Tieren aufgefressen,
Denn er mit Meineid sich vermessen.

– Sodann König Belsazers seinen Schmaus.
Weiber und Spielleut, Saus und Braus;
Zu großem Schrecken an der Wand
Rätsel schreibt eines Geistes Hand.
– Zuletzt da vorne stellt sich für
Sara lauschend an der Tür,
Als der Herr mit Abraham
Vor seiner Hütte zu reden kam,
Und ihme einen Sohn versprach.
Sara sich Lachens nicht entbrach,
Weil beide schon sehr hoch betaget.
Der Herr vernimmt es wohl und fraget:
Wie, lachet Sara? glaubt sie nicht,
Was der Herr will, leicht geschicht?
Das Weib hinwieder Flausen machet,
Spricht: Ich habe nicht gelachet.
Das war nun wohl gelogen fast,
Der Herr es doch passieren laßt,
Weil sie nicht leugt aus arger List,
Auch eine Patriarchin ist.

Seit daß ich hier bin dünket mir
Die Winterszeit die schönste schier.
Wie sanft ist aller Tage Fluß
Bis zum geliebten Wochenschluß!
– Freitag zu Nacht, noch um die Neune,
Bei seiner Lampen Trost alleine,
Mein Herr fangt an sein Predigtlein
Studieren; anderst mags nicht sein;
Eine Weil am Ofen brütend steht,
Unruhig hin und dannen geht:
Sein Text ihm schon die Adern reget;
Drauf er sein Werk zu Faden schläget.
Inmittelst einmal auch etwan
Hat er ein Fenster aufgetan –
Ah, Sternenlüfteschwall wie rein
Mit Haufen dringet zu mir ein!

Den Verrenberg ich schimmern seh,
Den Schäferbühel dick mit Schnee!

Zu schreiben endlich er sich setzet,
Ein Blättlein nimmt, die Feder netzet,
Zeichnet sein Alpha und sein O
Über dem Exordio.
Und ich von meinem Postament
Kein Aug ab meinem Herrlein wend;
Seh, wie er, mit Blicken steif ins Licht,
Sinnt, prüfet jedes Worts Gewicht,
Einmal sacht eine Prise greifet,
Vom Docht den roten Butzen streifet;
Auch dann und wann zieht er vor sich
Ein Sprüchlein an vernehmentlich,
So ich mit vorgerecktem Kopf
Begierlich bringe gleich zu Kropf.
Gemachsam kämen wir also
Bis Anfang Applicatio.

Indes der Wächter Elfe schreit.
Mein Herr denkt: es ist Schlafenszeit;
Ruckt seinen Stuhl und nimmt das Licht;
Gut Nacht, Herr Pfarr! – Er hört es nicht.

Im Finstern wär ich denn allein.
Das ist mir eben keine Pein.
Ich hör in der Registratur
Erst eine Weil die Totenuhr,
Lache den Marder heimlich aus,
Der scharrt sich müd am Hühnerhaus;
Windweben um das Dächlein stieben;
Ich höre, wie im Wald da drüben –
Man heißet es im Vogeltrost –
Der grimmig Winter sich erbost,
Ein Eichlein spalt't jähling mit Knallen,
Eine Buche, daß die Täler schallen.

– Du meine Güt, da lobt man sich
So frommen Ofen dankbarlich!
Er wärmelt halt die Nacht so hin,
Es ist ein wahrer Segen drin.
– Jetzt, denk ich, sind wohl hie und dort
Spitzbuben aus auf Raub und Mord;
Denk, was eine schöne Sach es ist,
Brave Schloß und Riegel zu jeder Frist!
Was ich wollt machen herentgegen,
Wenn ich eine Leiter hört anlegen;
Und sonst was so Gedanken sind;
Ein warmes Schweißlein mir entrinnt.
Um zwei, gottlob, und um die drei
Glänzet empor ein Hahnenschrei,
Um fünfe, mit der Morgenglocken,
Mein Herz sich hebet unerschrocken,
Ja voller Freuden auf es springt,
Als der Wächter endlich singt:
Wohlauf, im Namen Jesu Christ!
Der helle Tag erschienen ist!

Ein Stündlein drauf, wenn mir die Sporen
Bereits ein wenig steif gefroren,
Rasselt die Lis' im Ofen, brummt,
Bis's Feuer angeht, saust und summt.
Dann von der Küch 'rauf, gar nicht übel,
Die Supp ich wittre, Schmalz und Zwiebel.
Endlich, gewaschen und geklärt,
Mein Herr sich frisch zur Arbeit kehrt.

Am Samstag muß ein Pfarrer fein
Daheim in seiner Klause sein,
Nicht visiteln, herumkutschieren,
Seine Faß einbrennen, sonst hantieren.
Meiner hat selten solch Gelust.
Einmal – Ihr sagts nicht weiter just –
Zimmert' er den ganzen Nachmittag

Dem Fritz an einem Meisenschlag,
Dort an dem Tisch, und schwatzt' und schmaucht',
Mich alten Tropf kurzweilt' es auch.

Jetzt ist der liebe Sonntag da.
Es läut't zur Kirchen fern und nah.
Man orgelt schon; mir wird dabei,
Als säß ich in der Sakristei.
Es ist kein Mensch im ganzen Haus;
Ein Mücklein hör ich, eine Maus.
Die Sonne sich ins Fenster schleicht,
Zwischen die Kaktusstöck hinstreicht
Zum kleinen Pult von Nußbaumholz,
Eines alten Schreinermeisters Stolz;
Beschaut sich was da liegt umher,
Konkordanz und Kinderlehr,
Oblatenschachtel, Amtssigill,
Im Tintenfaß sich spiegeln will,
Zuteuerst Sand und Grus besicht,
Sich an dem Federmesser sticht
Und gleitet übern Armstuhl frank
Hinüber an den Bücherschrank.
Da stehn in Pergament und Leder
Vornan die frommen Schwabenväter:
Andreä, Bengel, Rieger zween,
Samt *Ötinger* sind da zu sehn.
Wie sie die goldnen Namen liest,
Noch goldener ihr Mund sie küßt,
Wie sie rührt an *Hillers* Harfenspiel –
Horch! klingt es nicht? so fehlt nicht viel.

Inmittelst läuft ein Spinnlein zart
An mir hinauf nach seiner Art,
Und hängt sein Netz, ohn erst zu fragen,
Mir zwischen Schnabel auf und Kragen.
Ich rühr mich nicht aus meiner Ruh,
Schau ihm eine ganze Weile zu,

Darüber ist es wohl geglückt,
Daß ich ein wenig eingenickt. –
Nun sagt, ob es in Dorf und Stadt
Ein alter Kirchhahn besser hat?

Ein Wunsch im stillen dann und wann
Kommt einen freilich wohl noch an.
Im Sommer stünd ich gern da draus
Bisweilen auf dem Taubenhaus,
Wo dicht dabei der Garten blüht,
Man auch ein Stück vom Flecken sieht.
Dann in der schönen Winterzeit,
Als zum Exempel eben heut:
Ich sag es grad – da haben wir
Gar einen wackern Schlitten hier,
Grün, gelb und schwarz; – er ward verwichen
Erst wieder sauber angestrichen:
Vorn auf dem Bogen brüstet sich
Ein fremder Vogel hoffärtig –
Wenn man mich etwas putzen wollt,
Nicht, daß es drum viel kosten sollt,
Ich stünd so gut dort als wie der
Und machet niemand nicht Unehr!
– Narr! denk ich wieder, du hast dein Teil!
Willst du noch jetzo werden geil?
Mich wundert, ob dir nicht gefiel',
Daß man, der Welt zum Spott und Ziel,
Deinen warmen Ofen gar zuletzt
Mitsamt dir auf die Läufe setzt',
Daß auf dem Gsims da um dich säß
Mann, Weib und Kind, der ganze Käs!
Du alter Scherb, schämst du dich nicht,
Auf Eitelkeit zu sein erpicht?
Geh in dich, nimm dein Ende wahr!
Wirst nicht noch einmal hundert Jahr.

An Wilhelm Hartlaub

Durchs Fenster schien der helle Mond herein;
Du saßest am Klavier im Dämmerschein,
Versankst im Traumgewühl der Melodien,
Ich folgte dir an schwarzen Gründen hin,
Wo der Gesang versteckter Quellen klang,
Gleich Kinderstimmen, die der Wind verschlang.

Doch plötzlich war dein Spiel wie umgewandt,
Nur blauer Himmel schien noch ausgespannt,
Ein jeder Ton ein lang gehaltnes Schweigen.
Da fing das Firmament sich an zu neigen,
Und jäh daran herab der Sterne selig Heer
Glitt rieselnd in ein goldig Nebelmeer,
Bis Tropf' um Tropfen hell darin zerging,
Die alte Nacht den öden Raum umfing.

Und als du neu ein fröhlich Leben wecktest,
Die Finsternis mit jungem Lichte schrecktest,
War ich schon weit hinweg mit Sinn und Ohr,
Zuletzt warst du es selbst, in den ich mich verlor;
Mein Herz durchzückt' mit eins ein Freudenstrahl:
Dein ganzer Wert erschien mir auf einmal.
So wunderbar empfand ich es, so neu,
Daß noch bestehe Freundeslieb und Treu!
Daß uns so sichrer Gegenwart Genuß
Zusammenhält in Lebensüberfluß!

Ich sah dein hingesenktes Angesicht
Im Schatten halb und halb im klaren Licht;
Du ahntest nicht, wie mir der Busen schwoll,
Wie mir das Auge brennend überquoll.
Du endigtest; ich schwieg – Ach warum ist doch eben
Dem höchsten Glück kein Laut des Danks gegeben?

Da tritt dein Töchterchen mit Licht herein,
Ein ländlich Mahl versammelt Groß und Klein,
Vom nahen Kirchturm schallt das Nachtgeläut',
Verklingend so des Tages Lieblichkeit.

Ländliche Kurzweil

An Constanze Hartlaub

Um die Herbstzeit, wenn man abends
Feld und Garten gerne wieder
Tauschet mit dem wärmern Zimmer,
Bald auch schon den lang verschmähten
Ofen sieht mit andern Augen,
Jetzo noch zweideutigen:
Haben wir hier auf dem Lande
Noch die allerschönsten Stunden
Müßig halb und halb geschäftig
Plaudernder Geselligkeit.

Jüngst so waren wir am runden
Tisch versammelt um die Lampe.
Eine Freundin, aus der Ferne
Neulich bei uns angekommen,
Saß, ein holder Gast, im Kreise.
Abgetragen war das Essen,
Nur das Tischtuch mußte bleiben.
Reinliche Gefäße vor sich
Eiferten die guten Frauen,
Wer des vielkörnigen Mohnes
Größern Haufen vor sich bringe;
– Weißen hatten wir und blauen –
Emsig klopften, unbeschadet
Des Gespräches, ihre Messer,
Während ich, zunächst dem Lichte,

In den Haller Jahresheften
Blätterte und hin und wieder
Einen Brocken gab zum besten.

Doch nach einer kleinen Stille,
Plötzlich wie vom Zaun gebrochen,
Sagte meine Schwester Clärchen,
Schadenfrohen Blicks nach mir:
»Geld auf Zinsen auszulehnen
Ist wohl keine üble Sache,
Wenn man es nur christlich treibt;
Denn vom Hundert zieht man immer,
Wo nicht fünfe, doch fünfthalbe,
Das ist einem wie geschenkt;
Aber wer in müßger Weile
An dem Mohnfeld einst vorüber
Schlenderte, der grünen Häupter
Eines an der Seite spaltend,
Kleine Münze drin verbarg,
Hoffend, daß es groß und größer,
Eine Wunderfrucht, erwachse,
Und so viel es Körner trüge
So viel nagelneue Kreuzer
Künftig in der dürren Hülse
(Eine feine Kinderklapper,
Eine seltne Vogelscheuche!)
Klingend in dem Winde schüttle,
Der ist übel angeführt.
Nicht nur, daß die Interessen
Fehlen, auch die schönen Samen
Sind vergiftet, schwarz gemodert,
Und der unfruchtbare Mammon
Lauter Grünspan, ganz unkenntlich,
Garstig, wie dies Beispiel zeigt!«
Und hiermit warf sie den Kreuzer
Auf den Tisch, da lachte alles.

»Lassen Sie sich das erklären!«
Sagt ich, zu dem Gast gewendet:
»Wer in Schwaben einen neuen
Rock an hat zum ersten Male,
Muß von Freunden und Bekannten
In das neue Taschenfutter
Einen blanken Kreuzer haben;
Und so ward mir, ländlich sittlich,
Auch der meine vorgen Sommer
Für den hübschen Schlafrock, eben
Den man gegenwärtig sieht.
Jenen Morgen nun erging ich
Guten Mutes mich im Garten,
Tat auch wirklich wie sie sagt,
Doch was ich dabei mir dachte,
Muß ich wohl am besten wissen.
Ein Orakel sollt es sein,
Das der Herbst erproben würde:
Bringt die Kolbe blauen Samen,
Ist der liebe Gast nicht kommen;
Bringt sie weißen, wird er da sein
Eben wenn man sie eröffnet;
Und um sie genau zu zeichnen
Legt ich jene Münze ein.
Aber bald war dieses alles
Bis den Augenblick vergessen.
Und nun seht –«
»Nichts!« rief die Schwester:
»Nein, ich lasse mirs nicht nehmen,
Spekulieren wolltest du!
Und der Fall beweist nur wieder,
Was oft, dich in Schutz zu nehmen,
Andere mit mir bezeugten:
Daß mein teuerster Herr Bruder
Bei dem allerbesten Willen
Zum Kapitalisten eben
Einmal nicht geboren ist.«

Auf den Tod eines Vogels

O Vogel, ist es aus mit dir?
Krank übergab ich dich Barmherzgen-Schwester-Händen,
Ob sie vielleicht noch dein Verhängnis wenden;
So war denn keine Hilfe hier?
Zwei Augen, schwarz als wie die deinen,
Sah ich mit deinem Blick sich einen,
Und gleich erlosch sein schönes Licht.
Hast du von ihnen Leids erfahren?
Wohlan, wenn *sie* dir tödlich waren,
So war dein Tod so bitter nicht!

Ach nur einmal noch im Leben!

Im Fenster jenes alt verblichnen Gartensaals
Die Harfe, die, vom leisen Windhauch angeregt,
Lang ausgezogne Töne traurig wechseln läßt
In ungepflegter Spätherbst-Blumen-Einsamkeit,
Ist schön zu hören einen langen Nachmittag.
Nicht völlig unwert ihrer holden Nachbarschaft
Stöhnt auf dem grauen Zwingerturm die Fahne dort,
Wenn stürmischer oft die Wolken ziehen überhin.

In meinem Garten aber (hieß' er nur noch mein!)
Ging so ein Hinterpförtchen frei ins Feld hinaus,
Abseits vom Dorf. Wie manches liebe Mal stieß ich
Den Riegel auf an der geschwärzten Gattertür
Und bog das überhängende Gesträuch zurück,
Indem sie sich auf rostgen Angeln schwer gedreht! –
Die Tür nun, musikalisch mannigfach begabt,

Für ihre Jahre noch ein ganz annehmlicher
Sopran (wenn sie nicht eben wetterlaunisch war),
Verriet mir eines Tages – plötzlich, wie es schien,
Erweckt aus einer lieblichen Erinnerung –
Ein schöneres Empfinden, höhere Fähigkeit.
Ich öffne sie gewohnter Weise, da beginnt
Sie zärtlich eine Arie, die mein Ohr sogleich
Bekannt ansprach. Wie? rief ich staunend: träum ich denn?
War das nicht »Ach nur einmal noch im Leben« ganz?
Aus Titus, wenn mir recht ist? – Alsbald ließ ich sie
Die Stelle wiederholen; und ich irrte nicht!
Denn langsamer, bestimmter, seelenvoller nun
Da capo sang die Alte: »Ach nur einmal noch!«
Die fünf, sechs ersten Noten nämlich, weiter kaum,
Hingegen war auch dieser Anfang tadellos.
– Und was, frug ich nach einer kurzen Stille sie,
Was denn noch einmal? Sprich, woher, Elegische,
Hast du das Lied? Ging etwa denn zu deiner Zeit
(Die neunziger Jahre meint ich) hier ein schönes Kind,
Des Pfarrers Enkeltochter, sittsam aus und ein,
Und hörtest du sie durch das offne Fenster oft
Am grünlackierten, goldbeblümten Pantalon
Hellstimmig singen? Des gestrengen Mütterchens
Gedenkst du auch, der Hausfrau, die so reinlich stets
Den Garten hielt, gleichwie sie selber war, wann sie
Nach schwülem Tag am Abend ihren Kohl begoß,
Derweil der Pfarrherr ein paar Freunden aus der Stadt,
Die eben weggegangen, das Geleite gab;
Er hatte sie bewirtet in der Laube dort,
Ein lieber Mann, redseliger Weitschweifigkeit.
Vorbei ist nun das alles und kehrt nimmer so!
Wir Jüngern heutzutage treibens ungefähr
Zwar gleichermaßen, wackre Leute ebenfalls;
Doch besser dünkt ja allen was vergangen ist.
Es kommt die Zeit, da werden wir auch ferne weg
Gezogen sein, den Garten lassend und das Haus.
Dann wünschest du nächst jenen Alten uns zurück,

Und schmückt vielleicht ein treues Herz vom Dorf einmal,
Mein denkend und der Meinen, im Vorübergehn
Dein morsches Holz mit hellem Ackerblumenkranz.

Göttliche Reminiszenz

Πάντα δι' αὐτοῦ ἐγένετο.
Ev. Joh. 1,3

Vorlängst sah ich ein wundersames Bild gemalt,
Im Kloster der Kartäuser, das ich oft besucht.
Heut, da ich im Gebirge droben einsam ging,
Umstarrt von wild zerstreuter Felsentrümmersaat,
Trat es mit frischen Farben vor die Seele mir.
An jäher Steinkluft, deren dünn begraster Saum,
Von zweien Palmen überschattet, magre Kost
Den Ziegen beut, den steilauf weidenden am Hang,
Sieht man den Knaben Jesus sitzend auf Gestein;
Ein weißes Vlies als Polster ist ihm unterlegt.
Nicht allzu kindlich deuchte mir das schöne Kind;
Der heiße Sommer, sicherlich sein fünfter schon,
Hat seine Glieder, welche bis zum Knie herab
Das gelbe Röckchen decket mit dem Purpursaum,
Hat die gesunden, zarten Wangen sanft gebräunt;
Aus schwarzen Augen leuchtet stille Feuerkraft,
Den Mund jedoch umfremdet unnennbarer Reiz.
Ein alter Hirte, freundlich zu dem Kind gebeugt,
Gab ihm soeben ein versteinert Meergewächs,
Seltsam gestaltet, in die Hand zum Zeitvertreib.
Der Knabe hat das Wunderding beschaut, und jetzt,
Gleichsam betroffen, spannet sich der weite Blick,
Entgegen dir, doch wirklich ohne Gegenstand,
Durchdringend ewge Zeiten-Fernen, grenzenlos:
Als wittre durch die überwölkte Stirn ein Blitz
Der Gottheit, ein Erinnern, das im gleichen Nu
Erloschen sein wird; und das welterschaffende,

Das Wort von Anfang, als ein spielend Erdenkind
Mit Lächeln zeigts unwissend dir sein eigen Werk.

Erbauliche Betrachtung

Als wie im Forst ein Jäger, der, am heißen Tag
Im Eichenschatten ruhend, mit zufriednem Blick
Auf seine Hunde niederschaut, das treue Paar,
Das, Hals um Hals geschlungen, brüderlich den Schlaf,
Und schlafend noch des Jagens Lust und Mühe teilt:
So schau ich hier an des Gehölzes Schattenrand
Bei kurzer Rast auf meiner eignen Füße Paar
Hinab, nicht ohne Rührung; in gewissem Sinn
Zum ersten Mal, so alt ich bin, betracht ich sie,
Und bin fürwahr von ihrem Dasein überrascht,
Wie sie, in Schuhn bis überm Knöchel eingeschnürt,
Bestäubt da vor mir liegen im verlechzten Gras.

Wie manches Lustrum, ehrliche Gesellen, schleppt
Ihr mich auf dieser buckeligen Welt umher,
Gehorsam eurem Herren jeden Augenblick,
Tag oder Nacht, wohin er nur mit euch begehrt.
Sein Wandel mochte töricht oder weislich sein,
Den besten Herrn, wenn man euch hörte, trugt ihr stets.
Ihr seid bereit, den Unglimpf, der ihm widerfuhr,
– Und wäre sein Beleidiger ein Reichsbaron –
Alsbald zu strafen mit ergrimmtem Hundetritt
(Doch hiefür hat er selber zu viel Lebensart).
Wo war ein Berg zu steil für euch, zu jäh ein Fels?
Und glücklich immer habt ihr mich nach Haus gebracht;
Gleichwohl noch nie mit einem Wörtchen dankt ich euch,
Vom Schönsten was mein Herz genoß erfuhrt ihr nichts!

Wenn, von der blausten Frühlingsmitternacht entzückt,
Oft aus der Gartenlaube weg vom Zechgelag

Mein hochgestimmter Freund mich noch hinausgelockt,
Die offne Straße hinzuschwärmen raschen Gangs,
Wir Jünglinge, des Jugendglückes Übermaß
Als baren Schmerz empfindend, ins Unendliche
Die Geister hetzten, und die Rede wie Feuer troff,
Bis wir zuletzt an Kühnheit mit dem sichern Mann
Wetteiferten, da dieser Urwelts-Göttersohn
In Flößerstiefeln vom Gebirg zum Himmel sich
Verstieg und mit der breiten Hand der Sterne Heer
Zusammenstrich in einen Habersack und den
Mit großem Schnaufen bis zum Rand der Schöpfung trug
Den Plunder auszuschütteln vor das Weltentor –
Ach, gute Bursche, damals wart ihr auch dabei,
Und wo nicht sonst, davon ich jetzo schweigen will!

Bleibt mir getreu, und altert schneller nicht als ich!
Wir haben, hoff ich, noch ein schön Stück Wegs vor uns;
Zwar weiß ichs nicht, den Göttern sei es heimgestellt.
Doch wie es falle, laßt euch nichts mit mir gereun.
Auf meinem Grabstein soll man ein Paar Schuhe sehn,
Den Stab darüber und den Reisehut gelegt,
Das beste Sinnbild eines ruhenden Wandersmanns.
Wer dann mich segnet, der vergißt auch eurer nicht.
Genug für jetzt! denn dort seh ichs gewitterschwer
Von Mittag kommen, und mich deucht, es donnert schon.
Eh uns der Regen übereilt, ihr Knaben, auf!
Die Steig hinab! zum Städtchen langt sichs eben noch.

An Longus

Von Widerwarten eine Sorte kennen wir
Genau und haben ärgerlich sie oft belacht,
Ja einen eignen Namen ihr erschufest du,
Und heute noch beneid ich dir den kühnen Fund.

Zur Kurzweil gestern in der alten Handelsstadt,
Die mich herbergend einen Tag langweilete,
Ging ich vor Tisch, der Schiffe Ankunft mit zu sehn,
Nach dem Kanal, wo im Getümmel und Geschrei
Von tausendhändig aufgeregter Packmannschaft,
Faßwälzender, um Kist und Ballen fluchender,
Der tätige Faktor sich zeigt und, Gaffens halb,
Der Straßenjunge, beide Händ im Latze, steht.
Doch auf dem reinen Quaderdamme ab und zu
Spaziert' ein Pärchen; dieses faßt ich mir ins Aug.
Im grünen, goldbeknöpften Frack ein junger Herr
Mit einer hübschen Dame, modisch aufgepfauscht.
Schnurrbartsbewußtsein trug und hob den ganzen Mann
Und glattgespannter Hosen Sicherheitsgefühl,
Kurz, von dem Hütchen bis hinab zum kleinen Sporn
Belebet' ihn vollendete Persönlichkeit.
Sie aber lachte pünktlich jedem dürftgen Scherz.
Der treue Pudel, an des Herren Knie gelockt,
Wird, ihr zum Spaße, schmerzlich in das Ohr gekneipt,
Bis er im hohen Fistelton gehorsam heult,
Zu Nachahmung ich weiß nicht welcher Sängerin.

Nun, dieser Liebenswerte, dächt ich, ist doch schon
Beinahe was mein Longus einen *Sehrmann* nennt;
Und auch die Dame war in hohem Grade *sehr*.
Doch nicht die affektierte Fratze, nicht allein
Den Gecken zeichnet dieses einzge Wort, vielmehr,
Was sich mit Selbstgefälligkeit Bedeutung gibt,
Amtliches Air, vornehm ablehnende Manier,
Dies und noch manches andere begreifet es.

Der Principal vom Comptoir und der Canzellei
Empfängt den Assistenten oder Commis – denkt,
Er kam nach elfe gestern nacht zu Hause erst –
Den andern Tag mit einem langen Sehrgesicht.
Die Kammerzofe, die kokette Kellnerin,
Nachdem sie erst den Schäker kühn gemacht, tut bös,

Da er nun vom geraubten Kusse weitergeht:
»Ich muß recht, recht sehr bitten!« sagt sie wiederholt
Mit seriösem Nachdruck zum Verlegenen.

Die Tugend selber zeiget sich in Sehrheit gern.
O hättest du den jungen Geistlichen gesehn,
Dem ich nur neulich an der Kirchtür hospitiert!
Wie Milch und Blut ein Männchen, durchaus musterhaft;
Er wußt es auch: im wohlgezognen Backenbart,
Im blonden, war kein Härchen, wett ich, ungezählt.
Die Predigt roch mir seltsamlich nach Leier und Schwert,
Er kam nicht weg vom schönen Tod fürs Vaterland;
Ein paarmal gar riskiert' er liberal zu sein,
Höchst liberal, – nun, halsgefährlich macht' ers nicht,
Doch wurden ihm die Ohren sichtlich warm dabei.
Zuletzt, herabgestiegen von der Kanzel, rauscht
Er strahlend, Kopf und Schultern wiegend, rasch vorbei
Dem duftgen Reihen tiefbewegter Jungfräulein,
Und richtig macht er ihnen ein Sehrkompliment.

Besonders ist die Großmut ungemein sehrhaft.
Denn der Student, von edlem Burschentum erglüht,
Der hochgesinnte Leutnant, schreibet seinem Feind
(Ach *eine* Träne Juliens vermochte das!)
Nach schon erklärtem Ehrenkampfe, schnell versöhnt,
Lakonisch schön ein Sehr-Billett – es rührt ihn selbst.
So ein Herr X, so ein Herr Z, als Rezensent,
Ist großer Sehrmann, Sehr-Sehrmann, just wenn er dir
Den Lorbeer reicht, beinahe mehr noch, als wenn er
Sein höhnisch Sic! und Sapienti sat! hintrumpft.

Hiernächst versteht sich allerdings, daß viele auch
Nur teilweis und gelegentlich Sehrleute sind.
So haben wir an manchem herzlich lieben Freund
Ein unzweideutig Äderchen der Art bemerkt,
Und freilich immer eine Faust im Sack gemacht.
Doch wenn es nun vollendet erst erscheint, es sei

Mann oder Weib, der Menschheit Afterbild – o wer,
Dem sich im Busen ein gesundes Herz bewegt,
Erträgt es wohl? wem krümmte sich im Innern nicht
Das Eingeweide? Gift und Operment ist mirs!
Denn wären sie nur lächerlich! sie sind zumeist
Verrucht, abscheulich, wenn du sie beim Licht besiehst.
Kein Mensch beleidigt wie der Sehrmann und verletzt
Empfindlicher; wärs auch nur durch die Art wie er
Dich im Gespräch am Rockknopf faßt. Du schnöde Brut!
Wo einer auftritt, jedes Edle ist sogleich
Gelähmt, vernichtet neben ihnen, nichts behält
Den eignen, unbedingten Wert. Geht dir einmal
Der Mund in seiner Gegenwart begeistert auf,
Und was es sei – der Mann besitzt ein bleiernes,
Grausames Schweigen; völlig bringt dichs auf den Hund.
– Was hieße gottlos, wenn es dies Geschlecht nicht ist?
Und nicht im Schlaf auch fiel es ihnen ein, daß sie
Mit Haut und Haar des Teufels sind. Ich scherze nicht.
Durch Buße kommt ein Arger wohl zum Himmelreich:
Doch kann der Sehrmann Buße tun? O nimmermehr!
Drum fürcht ich, wenn sein abgeschiedner Geist dereinst
Sich, frech genug, des Paradieses Pforte naht,
Der rosigen, wo, Wache haltend, hellgelockt
Ein Engel lehnet, hingesenkt ein träumend Ohr
Den ewgen Melodien, die im Innern sind:
Aufschaut der Wächter, misset ruhig die Gestalt
Von Kopf zu Fuß, die fragende, und schüttelt jetzt
Mit sanftem Ernst, mitleidig fast, das schöne Haupt,
Links deutend, ungern, mit der Hand, abwärts den Pfad.
Befremdet, ja beleidigt stellt mein Mann sich an,
Und zaudert noch; doch da er sieht, hier sei es Ernst,
Schwenkt er in höchster Sehrheit trotziglich, getrost
Sich ab und schwänzelt ungesäumt der Hölle zu.

Waldplage

Im Walde deucht mir alles miteinander schön,
Und nichts Mißliebiges darin, so vielerlei
Er hegen mag; es krieche zwischen Gras und Moos
Am Boden, oder jage reißend durchs Gebüsch,
Es singe oder kreische von den Gipfeln hoch,
Und hacke mit dem Schnabel in der Fichte Stamm,
Daß lieblich sie ertönet durch den ganzen Saal.
Ja machte je sich irgend etwas unbequem,
Verdrießt es nicht, zu suchen einen andern Sitz,
Der schöner bald, der allerschönste, dich bedünkt.
Ein einzig Übel aber hat der Wald für mich,
Ein grausames und unausweichliches beinah.
Sogleich beschreib ich dieses Scheusal, daß ihrs kennt;
Noch kennt ihrs kaum, und merkt es nicht, bis unversehns
Die Hand euch und, noch schrecklicher, die Wange schmerzt.
Geflügelt kommt es, säuselnd, fast unhörbarlich;
Auf Füßen, zweimal dreien, ist es hoch gestellt
(Deswegen ich in Versen es zu schmähen auch
Den klassischen Senarium mit Fug erwählt);
Und wie es anfliegt, augenblicklich lässet es
Den langen Rüssel senkrecht in die zarte Haut;
Erschrocken schlagt ihr schnell darnach, jedoch umsonst,
Denn, graziöser Wendung, schon entschwebet es.
Und alsobald, entzündet von dem raschen Gift,
Schwillt euch die Hand zum ungestalten Kissen auf,
Und juckt und spannt und brennet zum Verzweifeln euch
Viel Stunden, ja zuweilen noch den dritten Tag.
So unter meiner Lieblingsfichte saß ich jüngst –
Zur Lehne wie gedrechselt für den Rücken, steigt
Zwiestämmig, nah dem Boden, sie als Gabel auf –
Den Dichter lesend, den ich jahrelang vergaß:
An Fanny singt er, Cidly und den Züricher See,
Die frühen Gräber und des Rheines goldnen Wein
(O sein Gestade brütet jenes Greuels auch
Ein größeres Geschlechte noch und schlimmres aus,

Ich kenn es wohl, doch höflicher dem Gaste wars.) –
Nun aber hatte geigend schon ein kleiner Trupp
Mich ausgewittert, den geruhig Sitzenden;
Mir um die Schläfe tanzet er in Lüsternheit.
Ein Stich! der erste! er empört die Galle schon.
Zerstreuten Sinnes immer schiel ich übers Blatt.
Ein zweiter macht, ein dritter, mich zum Rasenden.
Das holde Zwillings-Nymphenpaar des Fichtenbaums
Vernahm da Worte, die es nicht bei mir gesucht;
Zuletzt geboten sie mir flüsternd Mäßigung:
Wo nicht, so sollt ich meiden ihren Ruhbezirk.
Beschämt gehorcht ich, sinnend still auf Grausamtat.
Ich hielt geöffnet auf der flachen Hand das Buch,
Das schwebende Geziefer, wie sich eines naht',
Mit raschem Klapp zu töten. Ha! da kommt schon eins!
»Du fliehst! o bleibe, eile nicht, Gedankenfreund!«
(Dem hohen Mond rief jener Dichter zu dies Wort.)
Patsch! Hab ich dich, Canaille, oder hab ich nicht?
Und hastig – denn schon hatte meine Mordbegier
Zum stillen Wahnsinn sich verirrt, zum kleinlichen –
Begierig blättr' ich: ja, da liegst du plattgedrückt,
Bevor du stachst, nun aber stichst du nimmermehr,
Du zierlich Langgebeinetes, Jungfräuliches!
– Also, nicht achtend eines schönen Buchs Verderb,
Trieb ich erheitert lange noch die schnöde Jagd,
Unglücklich oft, doch öfter glücklichen Erfolgs.
So mag es kommen, daß ein künftger Leser wohl
Einmal in Klopstocks Oden, nicht ohn einiges
Verwundern, auch etwelcher Schnaken sich erfreut.

Dem Herrn Prior der Kartause I.

Sie haben goldne Verse mir, phaläkische,
Das zierlichste Latein, geschickt. Ich möchte wohl
Sie gleicherweis erwidern; doch mit gutem Grund

Enthalt ich mich des Wagestücks, Vortrefflicher!
Kein Wunder, wenn ein grundgelehrter Freund Sie nur
Den zweiten Pater elegantiarum nennt.
Etwas bedenklich scheint es zwar, ich muß gestehn,
Daß ein Herr Prior, Prior des Kartäuserstifts,
Mit unserm Veroneser wettzueifern sich
Inallewege als berufnen Meister zeigt.
Wenn Ihr Herr Bischof das erführe! – doch es soll,
Was über allen Türen Ihres Klosters steht,
An Pfosten, Gängen, selbst am heimlichen Gemach,
Silentium! – das strenge Wort, mir heilig sein.

In wenig Tagen komm ich selbst; schon lange lockt
Die neue Märzensonne mich. Dann find ich wohl
Im Garten frühe meinen stattlich muntern Greis,
Beschäftigt, wilder Rosenstämmchen jungem Blut
Durch fürstlichen Gezüchtes eingepflanzten Keim
Holdselge Kinder zu vertraun; von weitem schon
Ruft er sein Salve, und behend entgegen mir
Den breiten Sandweg, weichen Trittes, schreitet er,
Im langen Ordenskleide, wollig, weiß wie Schnee.

Inzwischen hier ein Hundert Schnecken, wenns beliebt!
Ich fügte gern ein Stückchen Rotwild noch hinzu,
Das mir der Förster heut geschenkt, doch fällt mir ein,
Daß man nicht Pater elegantiarum nur,
Vielmehr auch Pater esuritionum* ist.

Besuch in der Kartause

Epistel an *Paul Heyse*

Als Junggesell, du weißt ja, lag ich lang einmal
In jenem luftigen Dörflein an der Kindelsteig

* Catullischer Ausdruck.

Gesundheitshalber müßig auf der Bärenhaut.
Der dicke Förster, stets auf mein Pläsier bedacht,
Wies mir die Gegend kreuz und quer und führte mich
Bei den Kartäusern gleich die ersten Tage ein.
Nun hätt ich dir von Seiner Dignität zunächst,
Dem Prior, manches zu erzählen: wie wir uns
In Scherz und Ernst, trotz meines schwäbischen
Ketzertums,
Gar bald verstanden; von dem kleinen Gartenhaus,
Wo ein bescheidnes Bücherbrett die Lieblinge
Des würdigen Herrn, die edlen alten Schwarten trug,
Aus denen uns bei einem Glase Wein, wie oft!
Pränestes Haine, Tiburs Wasser zugerauscht.
Hievon jedoch ein andermal. Er schläft nun auch
In seiner Ecke dort im Chor. Die Mönche sind,
Ein kleiner Rest der Brüderschaft, in die Welt zerstreut;
Im Kreuzgang lärmt der Küfer, aus der Kirche dampft
Das Malz, den Garten aber deckt ein Hopfenwald,
Kaum daß das Häuschen in der Mitte frei noch blieb,
Von dessen Dach, verwittert und entfärbt, der Storch
Auf *einem* Beine traurig in die Ranken schaut.

So, als ich jüngst, nach vierzehn Jahren, wiederkam,
Fand ich die ganze Herrlichkeit dahin. Sei's drum!
Ein jedes Ding währt seine Zeit. Der alte Herr
Sah alles lang so kommen, und ganz andres noch,
Darüber er sich eben nicht zu Tod gegrämt.
Bei dünnem Weißbier und versalzenem Pökelfleisch
Saß ich im Gasthaus der gewesnen Prälatur,
Im gleichen Sälchen, wo ich jenes erstemal
Mit andern Fremden mich am ausgesuchten Tisch
Des Priors freute klösterlicher Gastfreiheit.
Ein großer Aal ward aufgetragen, Laberdan,
Und Artischocken aus dem Treibhaus »fleischiger«,
So schwur, die Lippen häufig wischend, ein Kaplan,
»Sieht sie Fürst Taxis selber auf der Tafel nicht!«
Des höchsten Preises würdig aber deuchte mir

Ein gelber, weihrauchblumiger Vierunddreißiger,
Den sich das Kloster auf der sonnigsten Halde zog.
Nach dem Kaffee schloß unser wohlgelaunter Wirt
Sein Raritätenkästchen auf, Bildschnitzereien
Enthaltend, alte Münzen, Gemmen und so fort,
Geweihtes und Profanes ohne Unterschied;
Ein heiliger Sebastian in Elfenbein,
Desgleichen Sankt Laurentius mit seinem Rost,
Verschmähten nicht als Nachbarin Andromeda,
Nackt an den Fels geschmiedet, trefflich schön in Buchs.
Nächst alledem zog eine altertümliche
Stutzuhr, die oben auf dem Schranke ging, mich an;
Das Zifferblatt von grauem Zinn, vor welchem sich
Das Pendelchen nur in allzu peinlicher Eile schwang,
Und bei den Ziffern, groß genug, in schwarzer Schrift
Las man das Wort: Una ex illis ultima.
»Derselben eine ist die letzt« – verdeutschte flugs
Der Pater Schaffner, der bei Tisch mich unterhielt
Und gern von seinem Schulsack einen Zipfel wies;
Ein Mann wie Stahl und Eisen; die Gelehrsamkeit
Schien ihn nicht schwer zu drücken und der Küraß stand
Ihm ohne Zweifel besser als die Kutte an.

Dem dacht ich nun so nach für mich, da streift mein Aug
Von ungefähr die Wand entlang und stutzt mit eins:
Denn dort, was seh ich? Wäre das die alte Uhr?
Wahrhaftig ja, sie war es! – Und vergnügt wie sonst,
Laufst nicht, so gilts nicht, schwang ihr Scheibchen sich auf und ab.

Betrachtend stand ich eine Weile still vor ihr
Und seufzte wohl dazwischen leichthin einmal auf.
Darüber plötzlich wandte sich ein stummer Gast,
Der einzige, der außer mir im Zimmer war,
Ein älterer Herr, mit freundlichem Gesicht zu mir:
»Wir sollten uns fast kennen, mein ich – hätten wir
Nicht schon vorlängst in diesen Wänden uns gesehn?«

Und alsbald auch erkannt ich ihn: der Doktor wars
Vom Nachbarstädtchen und weiland der Klosterarzt,
Ein Erzschelm damals, wie ich mich noch wohl entsann,
Vor dessen derben Neckerein die Mönche sich
Mehr als vor seinem schlimmsten Tranke fürchteten.
Nun hatt ich hundert Fragen an den Mann, und kam
Beiher auch auf das Ührchen: »Ei, jawohl, das ist«,
Erwidert' er, »vom seligen Herrn ein Erbstück noch,
Im Testament dem Pater Schaffner zugeteilt,
Der es zuletzt dem Brauer, seinem Wirt, vermacht.«
– So starb der Pater hier am Ort? – »Es litt ihn nicht
Auswärts; ein Jahr, da stellte sich unser Enaksohn,
Unkenntlich fast in Rock und Stiefeln, wieder ein:
Hier bleib ich, rief er, bis man mich mit Prügeln jagt!
Für Geld und gute Worte gab man ihm denn auch
Ein Zimmer auf der Sommerseite, Hausmannskost
Und einen Streifen Gartenland. An Beschäftigung
Fehlt' es ihm nicht; er brannte seinen Kartäusergeist
Wie ehedem, die vielbeliebte Panazee,
Die sonst dem Kloster manches Tausend eingebracht.
Am Abend, wo es unten schwarz mit Bauern sitzt,
Behagt' er sich beim Deckelglas, die Dose und
Das blaue Sacktuch neben sich, im Dunst und Schwul
Der Zechgesellschaft, plauderte, las die Zeitung vor,
Sprach Politik und Landwirtschaft – mit *einem* Wort,
Es war ihm wohl, wie in den schönsten Tagen kaum.
Man sagt, er sei bisweilen mit verwegenen
Heiratsgedanken umgegangen – es war damals
So ein lachendes Pumpelchen hier, für den Stalldienst, wie
mir deucht –
Doch das sind Possen. Eines Morgens rief man mich
In Eile zum Herrn Pater: er sei schwer erkrankt.
Ein Schläglein hatte höflich bei ihm angeklopft
Und ihn in größern Schrecken als Gefahr gesetzt.
Auch fand ich ihn am fünften oder sechsten Tag
Schon wieder auf den Strümpfen und getrosten Muts.
Doch fiel mir auf, die kleine Stutzuhr, welche sonst

Dem Bette gegenüber stand und allezeit
Sehr viel bei ihm gegolten, nirgend mehr zu sehn.
Verlegen, als ich darnach frage, fackelt' er:
Sie sei kaputt gegangen, leider, so und so.
Der Fuchs! dacht ich, in seinem Kasten hat er sie
Zu unterst, völlig wohlbehalten, eingesperrt,
Wenn er ihr nicht den Garaus etwa selbst gemacht.
Das unliebsame Sprüchelchen! Mein Pater fand,
Die alte Hexe fange nachgerade an
Zu sticheln, und das war verdrießlich.« – Exzellent!
Doch setzten Sie den armen Narren hoffentlich
Nicht noch auf Kohlen durch ein grausames Verhör?
– »Je nun, ein wenig stak er allerdings am Spieß,
Was er mir auch im Leben, glaub ich, nicht vergab.«
– So hielt er sich noch eine Zeit? – »Gesund und rot
Wie eine Rose sah man Seine Reverenz
Vier Jahre noch und drüber, da denn endlich doch
Das leidige Stündlein ganz unangemeldet kam.
Wenn Sie im Tal die Straße gehn dem Flecken zu,
Liegt rechts ein kleiner Kirchhof, wo der Edle ruht.
Ein weißer Stein, mit seinem Klosternamen nur,
Spricht Sie bescheiden um ein Vaterunser an.
Das Ührchen aber – um zum Schlusse kurz zu sein –
War rein verschwunden. Wie das kam, begriff kein
Mensch.
Doch frug ihm weiter niemand nach, und längst war es
Vergessen, als von ungefähr die Wirtin einst
In einer abgelegnen Kammer hinterm Schlot
Eine alte Schachtel, wohl verschnürt und zehenfach
Versiegelt, fand, aus der man den gefährlichen
Zeitweisel an das Tageslicht zog mit Eklat.
Die Zuschrift aber lautete: Meinem werten Freund
Bräumeister Ignaz Raußenberger auf Kartaus.«

Also erzählte mir der Schalk mit innigem
Vergnügen, und wer hätte nicht mit ihm gelacht?

An Gretchen

Jüngst, als unsere Mädchen, zur Fastnacht beide verkleidet,
Im Halbdunkel sich scheu erst an der Türe gezeigt,
Dann sich die Blonde als Schäferin dir, mir aber die kleine
Mohrin mit Lachen zumal warf in den offenen Arm,
Und du, Liebste, von fern mein Gefühl nicht ahnend, ins Ohr mir
(Der ich verblüfft dasaß) flüstertest »lobe sie doch« –:
O wie gedacht ich der Zeit, da *diese* nicht waren, und *wir* uns
Beide noch fremd, ja du selber noch hießest ein Kind.
Einst und Jetzt im Wechsel – ein fliegender Blitz der Gedanken
Machte mich stumm, und hoch wallte vor Freuden mein Herz.

*Bilder aus Bebenhausen**

1. Kunst und Natur

Heute dein einsames Tal durchstreifend, o trautestes Kloster,
Fand ich im Walde zunächst jenen verödeten Grund,
Dem du die mächtigen Quader verdankst und was dir zum Schmucke
Deines gegliederten Turms alles der Meister verliehn.
Ganz ein Gebild des fühlenden Geistes verleugnest du dennoch
Nimmer den Mutterschoß drüben am felsigen Hang.

* Zisterzienser-Abtei mit einem Weiler, eine Stunde von Tübingen, gegenwärtig Sitz eines Forstamts. Das ehemalige Gasthaus des Klosters, wo der Verfasser einige Wochen zubrachte, ist das Geburtshaus des Naturforschers *C. F. v. Kielmeyer*, Eigentum und Sommeraufenthalt der Familie desselben.

Spielend ahmst du den schlanken Kristall und die rankende Pflanze
Nach und so manches Getier, das in den Klüften sich birgt.

2. Brunnen-Kapelle am Kreuzgang

Hier einst sah man die Scheiben gemalt, und Fenster an Fenster
Strahlte der dämmernde Raum, welcher ein Brünnlein umschloß,
Daß auf der tauenden Fläche die farbigen Lichter sich wiegten,
Zauberisch, wenn du wie heut, herbstliche Sonne, geglänzt.
Jetzo schattest du nur gleichgültig das steinerne Schmuckwerk
Ab am Boden, und längst füllt sich die Schale nicht mehr.
Aber du zeigst mir tröstlich im Garten ein blühendes Leben,
Das dein wonniger Strahl locket aus Moder und Schutt.

3. Ebendaselbst

Eulenspiegel am Kreuzgang, was? der verrufne Geselle
Als Gurtträger? Und wem hält er sein Spiegelchen vor?
Einem entrüsteten Mönch, der ganz umsonst sich ereifert;
Immer nur lachet der Schalk, weis't ihm die Eule und lacht.

4. Kapitelsaal

Wieder und wieder bestaun ich die Pracht der romanischen
Halle,
Herrliche Bogen, auf kurzstämmige Säulen gestellt.
Rauh von Korn ist der Stein, doch nahm er willig die
Zierde
Auch zu der Großheit auf, welche die Massen beseelt.
Nur ein düsteres Halblicht sendet der Tag durch die
schmalen
Fenster herein und streift dort ein vergessenes Grab.
Rudolf dem Stifter, und ihr, Mechtildis, der frommen,
vergönnte
Dankbar das Kloster, im Port seiner Geweihten zu ruhn.

5. Sommer-Refektorium

Sommerlich hell empfängt dich ein Saal; man glaubt sich
in einem
Dom; doch ein heiterer Geist spricht im Erhabnen dich an.
Ha, wie entzückt aufsteiget das Aug im Flug mit den
schlanken
Pfeilern! Der Palme vergleicht fast sich ihr luftiger Bau.
Denn vielstrahlig umher aus dem Büschel verlaufen die
Rippen
Oben und knüpfen, geschweift, jenes unendliche Netz,
Dessen Felder phantastisch mit grünenden Ranken der
Maler
Leicht ausfüllte; da lebt was nur im Walde sich nährt:
Frei in der Luft ein springender Eber, der Hirsch und das
Eichhorn;
Habicht und Kauz und Fasan schaukeln sich auf dem
Gezweig.
– Wenn von der Jagd herkommend als Gast hier speiste
der Pfalzgraf,
Sah er beim Becher mit Lust über sich sein Paradies.

6. Gang zwischen den Schlafzellen

Hundertfach wechseln die Formen des zierlich gemodelten Estrichs
Auf dem Flur des Dorments, rötlich in Würfeln gebrannt:
Rebengewinde mit grüner Glasur und bläulichen Trauben,
Täubchen dabei, paarweis, rings in die Ecken verteilt;
Auch dein gotisches Blatt, Chelidonium, dessen lebendig
Wucherndes Muster noch heut draußen die Pfeiler begrünt;
Auch, in heraldischer Zeichnung, erscheint vielfältig die Lilie,
Blume der Jungfrau, weiß schimmernd auf rötlichem Grund.
Alles mit Sinn und Geschmack, zur Bewunderung! aber auch alles
Fast in Trümmern, und nur seufzend verließ ich den Ort.

7. Stimme aus dem Glockenturm

Ich von den Schwestern allein bin gut katholisch geblieben;
Dies bezeugt euch mein Ton, hoff ich, mein goldener, noch.
Zwar ich klinge so mit, weil ich muß, sooft man uns läutet,
Aber ich denke mein Teil, wißt es, im stillen dabei.

8. Am Kirnberg

Hinter dem Bandhaus* lang hin dehnt sich die Wiese nach Mittag,
Längs dem hügligen Saum dieser bewaldeten Höhn,
Bis querüber ein mächtiger Damm sich wirft wie mit grünem

* Küferei und Speicher.

Sammet gedeckt: ehdem faßte das Becken den See,
Welcher die Schwelle noch netzte des Pförtleins dort in der Mauer,
Wo am eisernen Ring spielte der wartende Kahn.
Sah ich doch jüngst in der Kirche das Heiligenbild mit dem Kloster
Hinten im Grund: tiefblau spiegelt der Weiher es ab.
Und auf dem Schifflein fahren in Ruh zwei Zisterzienser,
Weiß die Gewänder und schwarz, Angel und Reuse zur Hand.
Als wie ein Schattenspiel, so hell von Farben, so kindlich
Lachte die Landschaft mich gleich und die Gruppe mich an.

9. Aus dem Leben

Mädchen am Waschtrog, du blondhaariges, zeige die Arme
Nicht und die Schultern so bloß unter dem Fenster des Abts!
Der zwar sieht dich zum Glück nicht mehr, doch dem artigen Forstmann
Dort bei den Akten bereits störst du sein stilles Konzept.

10. Nachmittags

Drei Uhr schlägt es im Kloster. Wie klar durch die schwülige Stille
Gleitet herüber zum Waldrande mit Beben der Schall,
Wo er lieblich zerfließt, in der Biene Gesumm sich mischend,
Das mich Ruhenden hier unter den Tannen umgibt.

11. Verzicht

Bleistift nahmen wir mit und Zeichenpapier und das
Reißbrett;
Aber wie schön ist der Tag! und wir verdürben ihn so?
Beinah dächt ich, wir ließen es gar, wir schaun und
genießen!
Wenig verliert ihr, und nichts wahrlich verlieret die
Kunst.
Hätt ich auch endlich mein Blatt vom Gasthaus an und der
Kirche
Bis zur Mühle herab fertig gekritzelt – was ists?
Hinter den licht durchbrochenen Turm, wer malt mir dies
süße,
Schimmernde Blau, und wer rundum das warme
Gebirg? –
– Nein! wo ich künftig auch sei, fürwahr mit geschlossenen
Augen
Seh ich dies Ganze vor mir, wie es kein Bildchen uns gibt.

Zitronenfalter im April

Grausame Frühlingssonne,
Du weckst mich vor der Zeit,
Dem nur in Maienwonne
Die zarte Kost gedeiht!
Ist nicht ein liebes Mädchen hier,
Das auf der Rosenlippe mir
Ein Tröpfchen Honig beut,
So muß ich jämmerlich vergehn
Und wird der Mai mich nimmer sehn
In meinem gelben Kleid.

An meinen Vetter

Juni 1837

Lieber Vetter! Er ist eine
Von den freundlichen Naturen,
Die ich *Sommerwesten* nenne.
Denn sie haben wirklich etwas
Sonniges in ihrem Wesen.
Es sind weltliche Beamte,
Rechnungsräte, Revisoren,
Oder Cameralverwalter,
Auch wohl manchmal Herrn vom Handel,
Aber meist vom ältern Schlage,
Keineswegs Petitmaitres,
Haben manchmal hübsche Bäuche,
Und ihr Vaterland ist Schwaben.

Neulich auf der Reise traf ich
Auch mit einer Sommerweste
In der Post zu Besigheim
Eben zu Mittag zusammen.
Und wir speisten eine Suppe,
Darin rote Krebse schwammen,
Rindfleisch mit französ'schem Senfe,
Dazu liebliche Radieschen,
Dann Gemüse, und so weiter:
Schwatzten von der neusten Zeitung,
Und daß es an manchen Orten
Gestern stark gewittert habe.
Drüber zieht der wackre Herr ein
Silbern Büchslein aus der Tasche,
Sich die Zähne auszustochern;
Endlich stopft er sich zum schwarzen
Kaffee seine Meerschaumpfeife,
Dampft und diskurriert und schaut in-
mittelst einmal nach den Pferden.

Und ich sah ihm so von hinten
Nach und dachte: Ach, daß diese
Lieben, hellen Sommerwesten,
Die bequemen, angenehmen,
Endlich doch auch sterben müssen!

Schul-Schmäcklein

Ei ja! es ist ein vortrefflicher Mann,
Wir lassen ihn billig ungerupft;
Aber seinen Versen merkt man an,
Daß der Verfasser lateinisch kann
Und schnupft.

Der Tambour

Wenn meine Mutter hexen könnt,
Da müßt sie mit dem Regiment,
Nach Frankreich, überall mit hin,
Und wär die Marketenderin.
Im Lager, wohl um Mitternacht,
Wenn niemand auf ist als die Wacht,
Und alles schnarchet, Roß und Mann,
Vor meiner Trommel säß ich dann:
Die Trommel müßt eine Schüssel sein,
Ein warmes Sauerkraut darein,
Die Schlegel Messer und Gabel,
Ein lange Wurst mein Sabel,
Mein Tschako wär ein Humpen gut,
Den füll ich mit Burgunderblut.
Und weil es mir an Lichte fehlt,
Da scheint der Mond in mein Gezelt;
Scheint er auch auf franzö'sch herein,

Mir fällt doch meine Liebste ein:
Ach weh! Jetzt hat der Spaß ein End!
– Wenn nur meine Mutter hexen könnt!

Mausfallen-Sprüchlein

Das Kind geht dreimal um die Falle und spricht:

Kleine Gäste, kleines Haus.
Liebe Mäusin oder Maus,
Stell dich nur kecklich ein
Heut nacht bei Mondenschein!
Mach aber die Tür fein hinter dir zu,
Hörst du?
Dabei hüte dein Schwänzchen!
Nach Tische singen wir,
Nach Tische springen wir
Und machen ein Tänzchen:
Witt witt!
Meine alte Katze tanzt wahrscheinlich mit.

Häusliche Szene

Schlafzimmer. Präzeptor *Ziborius* und seine *junge Frau.* Das Licht ist gelöscht.

Schläfst du schon, Rike? – »Noch nicht.« – Sag! hast du denn heut die Kukumern
Eingemacht? – »Ja.« – Und wieviel nahmst du mir Essig dazu? –
»Nicht zwei völlige Maß.« – Wie? fast zwei Maß? Und von welchem
Krug? von dem kleinern doch nicht, links vor dem Fenster am Hof?

»Freilich.« – Verwünscht! So darf ich die Probe nun noch einmal machen,
Eben indem ich gehofft schon das Ergebnis zu sehn!
Konntest du mich nicht fragen? – »Du warst in der Schule.« – Nicht warten? –
»Lieber, zu lange bereits lagen die Gurken mir da.«
Unlängst sagt ich dir: Nimm von Numero 7 zum Hausbrauch –
»Ach wer behielte denn stets alle die Zahlen im Kopf!« –
Sieben behält sich doch wohl! nichts leichter behalten als sieben!
Groß, mit arabischer Schrift, hält es der Zettel dir vor. –
»Aber du wechselst den Ort nach der Sonne von Fenster zu Fenster
Täglich, die Küche pressiert oft und ich suche mich blind.
Bester, dein Essiggebräu, fast will es mich endlich verdrießen.
Ruhig, obgleich mit Not, trug ich so manches bis jetzt.
Daß du im Waschhaus dich einrichtetest, wo es an Raum fehlt,
Destillierest und brennst, schien mir das Äußerste schon.
Nicht gern sah ich vom Stockbrett erst durch Kolben und Krüge
Meine Reseden verdrängt, Rosen und Sommerlevkoin,
Aber nun stehen ums Haus her rings vor jeglichem Fenster,
Halb gekleidet in Stroh, gläserne Bäuche gereiht;
Mir auf dem Herd stehn viere zum Hindernis, selber im Rauchfang
Hängt so ein Untier jetzt, wieder ein neuer Versuch!
Lächerlich machen wir uns – nimm mirs nicht übel!« – Was sagst du?
Lächerlich? – »Hättest du nur heut die Dekanin gehört.
Und in jeglichem Wort ihn selber vernahm ich, den Spötter;
Boshaft ist er, dazu Schwager zum Pädagogarch.« –

Nun? – »Einer Festung verglich sie das Haus des Präzeptors, ein Bollwerk
Hieß mein Erker, es sei alles gespickt mit Geschütz!« –
Schnödes Gerede, der lautere Neid! Ich hoffe mein Stecken-
Pferd zu behaupten, so gut als ihr Gemahl, der Dekan.
Freuts ihn Kanarienvögel und Einwerfkäfige dutzend-
Weise zu haben, mich freuts, tüchtigen Essig zu ziehn. –

Pause. Er scheint nachdenklich. Sie spricht für sich:

»Wahrlich, er dauert mich schon; ihn ängstet ein wenig die Drohung
Mit dem Studienrat, dem er schon lange nicht traut.« –

Er fährt fort:

Als Präzeptor tat ich von je meine Pflicht; ein geschätzter
Gradus neuerlich gibt einiges Zeugnis davon.
Was ich auf materiellem Gebiet, in müßigen Stunden,
Manchem Gewerbe, dem Staat denke zu leisten dereinst,
Ob ich meiner Familie nicht ansehnlichen Vorteil
Sichere noch mit der Zeit, dessen geschweig ich vorerst:
Aber – *den* will ich sehn, der einem geschundenen Schulmann
Ein Vergnügen wie das, Essig zu machen, verbeut!
Der von Allotrien spricht, von Lächerlichkeiten – er sei nun
Oberinspektor, er sei Rektor und Pädagogarch!
Greife nur einer mich an, ich will ihm dienen! Gewappnet
Findet ihr mich! Dreifach liegt mir das Erz um die Brust!
– Rike, du lachst! ... du verbirgst es umsonst! ich fühle die Stöße ...
Nun, was wandelt dich an? Närrst du mich, törichtes Weib? –
»Lieber, närrischer, goldener Mann! wer bliebe hier ernsthaft?
Nein, dies Feuer hätt ich nimmer im Essig gesucht!« –
Gnug mit den Possen! Ich sage dir, mir ist die Sache nicht spaßhaft. –

»Ruhig! Unseren Streit, Alter, vergleichen wir schon.
Gar nicht fällt es mir ein, dir die einzige Freude zu rauben;
Zuviel hänget daran, und ich verstehe dich ganz.
Siehst du von deinem Katheder im Schulhaus so durch das Fenster
Über das Höfchen den Schatz deiner Gefäße dir an,
Alle vom Mittagsstrahl der herrlichen Sonne beschienen,
Die dir den gärenden Wein heimlich zu zeitigen glüht,
Nun, es erquicket dir Herz und Aug in sparsamen Pausen,
Wie das bunteste Brett meiner Levkoin es nicht tat;
Und ein Pfeifchen Tabak in diesem gemütlichen Anblick
Nimmt dir des Amtes Verdruß reiner als alles hinweg;
Ja, seitdem du schon selbst mit eigenem Essig die rote
Tinte dir kochst, die sonst manchen Dreibätzner verschlang,
Ist dir, mein ich, der Wust der Exerzitienhefte
Minder verhaßt; dich labt still der bekannte Geruch.
Dies, wie mißgönnt' ich es dir? Nur gehst du ein bißchen ins Weite.
Alles – so heißt dein Spruch – habe sein Maß und sein Ziel.« –
Laß mich! Wenn mein Produkt dich einst zur vermöglichen Frau macht –
»Bester, das sagtest du just auch bei der Seidenkultur.« –
Kann ich dafür, daß das Futter mißriet, daß die Tiere krepierten? –
»Seine Gefahr hat auch sicher das neue Geschäft.« –
Namen und Ehre des Manns, die bringst du wohl gar nicht in Anschlag? –
»Ehre genug blieb uns, ehe wir Essig gebraut.« –
Korrespondierendes Mitglied heiß ich dreier Vereine. –
»Nähme nur *einer* im Jahr etliche Krüge dir ab!« –
Dir fehlt jeder Begriff von rationellem Bestreben. –
»Seit du ihn hast, fehlt dir abends ein guter Salat.« –
Undank! mein Fabrikat durch sämtliche Sorten ist trefflich. –
»Numero 7 und 9 kenn ich, und – lobe sie nicht.« –

Heut, wie ich merke, gefällst du dir sehr, mir in Versen zu trumpfen. –
»Waren es Verse denn nicht, was du gesprochen bisher?« –
Eine Schwäche des Mannes vom Fach, darfst du sie mißbrauchen? –
»Unwillkürlich, wie du, red ich elegisches Maß.« –
Mühsam übt ich dirs ein, harmlose Gespräche zu würzen. –
»Freilich im bitteren Ernst nimmt es sich wunderlich aus.« –
Also verbitt ich es jetzt; sprich, wie dir der Schnabel gewachsen. –
»Gut; laß sehen, wie sich Prose mit Distichen mischt.« –
Unsinn! Brechen wir ab. Mit Weibern sich streiten ist fruchtlos. –
»Fruchtlos nenn ich, im Schlot Essig bereiten, mein Schatz.« –
Daß noch zum Schlusse mir dein Pentameter tritt auf die Ferse! –
»Dein Hexameter zieht unwiderstehlich ihn nach.« –
Ei, dir scheint es bequem, nur das Wort noch, das letzte zu haben:
Habs! Ich schwöre, von mir hast du das letzte gehört. –
»Meinetwegen; so mag ein Hexameter einmal allein stehn.« –

Pause. Der Mann wird unruhig, es peinigt ihn offenbar, das Distichon nicht geschlossen zu hören oder es nicht selber schließen zu dürfen. Nach einiger Zeit kommt ihm die Frau mit Lachen zu Hülfe und sagt:

»Alter! ich tat dir zu viel; wirklich, dein Essig passiert;
Wenn er dir künftig noch besser gerät, wohlan, so ist einzig
Dein das Verdienst, denn du hast, wahrlich, kein zänkisches Weib!« –

Er gleichfalls herzlich lachend und sie küssend:

Rike! morgenden Tags räum ich dir die vorderen Fenster
Sämtlich! und im Kamin prangen die Schinken allein!

Selbstgeständnis

Ich bin meiner Mutter einzig Kind,
Und weil die andern ausblieben sind,
Was weiß ich wie viel, die sechs oder sieben,
Ist eben alles an mir hängen blieben;
Ich hab müssen die Liebe, die Treue, die Güte
Für ein ganz halb Dutzend allein aufessen,
Ich wills mein Lebtag nicht vergessen.
Es hätte mir aber noch wohl mögen frommen,
Hätt ich nur auch Schläg für Sechse bekommen.

Restauration

nach Durchlesung eines Manuskripts mit Gedichten

Das süße Zeug ohne Saft und Kraft!
Es hat mir all mein Gedärm erschlafft.
Es roch, ich will des Henkers sein,
Wie lauter welke Rosen und Camilleblümlein.
Mir ward ganz übel, mauserig, dumm,
Ich sah mich schnell nach was Tüchtigem um,
Lief in den Garten hinterm Haus,
Zog einen herzhaften Rettich aus,
Fraß ihn auch auf bis auf den Schwanz,
Da war ich wieder frisch und genesen ganz.

Zur Warnung

Einmal nach einer lustigen Nacht
War ich am Morgen seltsam aufgewacht:
Durst, Wasserscheu, ungleich Geblüt;
Dabei gerührt und weichlich im Gemüt,
Beinah poetisch, ja, ich bat die Muse um ein Lied.

Sie, mit verstelltem Pathos, spottet' mein,
Gab mir den schnöden Bafel ein:
»Es schlagt eine Nachtigall
Am Wasserfall;
Und ein Vogel ebenfalls,
Der schreibt sich Wendehals,
Johann Jakob Wendehals;
Der tut tanzen
Bei den Pflanzen
Obbemeld'ten Wasserfalls –«
So ging es fort; mir wurde immer bänger.
Jetzt sprang ich auf: zum Wein! Der war denn auch mein Retter.
– Merkts euch, ihr tränenreichen Sänger,
Im Katzenjammer ruft man keine Götter!

Pastoral-Erfahrung

Meine guten Bauern freuen mich sehr;
Eine »scharfe Predigt« ist ihr Begehr.
Und wenn man mir es nicht verdenkt,
Sag ich, wie das zusammenhängt.
Sonnabend, wohl nach elfe spat,
Im Garten stehlen sie mir den Salat;
In der Morgenkirch mit guter Ruh
Erwarten sie den Essig dazu;
Der Predigt Schluß fein linde sei:
Sie wollen gern auch Öl dabei.

Abschied

Unangeklopft ein Herr tritt abends bei mir ein:
»Ich habe die Ehr, Ihr Rezensent zu sein.«

Sofort nimmt er das Licht in die Hand,
Besieht lang meinen Schatten an der Wand,
Rückt nah und fern: »Nun, lieber junger Mann,
Sehn Sie doch gefälligst mal Ihre Nas so von der Seite an!
Sie geben zu, daß das ein Auswuchs is.«
– Das? Alle Wetter – gewiß!
Ei Hasen! ich dachte nicht,
All mein Lebtage nicht,
Daß ich so eine Weltsnase führt' im Gesicht!!

Der Mann sprach noch verschiednes hin und her,
Ich weiß, auf meine Ehre, nicht mehr;
Meinte vielleicht, ich sollt ihm beichten.
Zuletzt stand er auf; ich tat ihm leuchten.
Wie wir nun an der Treppe sind,
Da geb ich ihm, ganz froh gesinnt,
Einen kleinen Tritt,
Nur so von hinten aufs Gesäße, mit –
Alle Hagel! ward das ein Gerumpel,
Ein Gepurzel, ein Gehumpel!
Dergleichen hab ich nie gesehn,
All mein Lebtage nicht gesehn
Einen Menschen so rasch die Trepp hinabgehn!

An Clara

Cleversulzbach 1837. Als sie ein wenig kurz angebunden gegen mich war

Da dein Bruder
Das Ruder
Des Hauswesens führt
Und kein Narr ist,
Sondern Pfarr' ist,
Der ganz Sulzbach regiert,
Der zwar, genötigt,

Auf Predigt
Und manches verzicht't,
Auch im Kranze*
Keine Lanze
Für Steudel mehr bricht;
Da man ihn ferner
Trotz Justin Kerner
Als Dichter begrüßt,
Und, obgleich Dichter,
Er doch die Lichter
Für die Haushaltung gießt;
Da er dir endlich
Unendlich
Viel Gutes erweist,
Wie er noch gestern
Seine Schwestern
Mit Zimtstern gespeist:
So sollt ich schließen
Aus allem diesen –
Doch ists gescheiter,
Ich sag nicht weiter
Und mach' ohne Zirkel
Einen schönen .

Keine Rettung

Kunst! o in deine Arme wie gern entflöh ich dem Eros!
Doch du Himmlische hegst selbst den Verräter im Schoß.

* Eine theologische Gesellschaft, worin man über Steudels »Dogmatik« sprach.

In der Hütte am Berg

»Was ich lieb und was ich bitte,
Gönnen mir die Menschen nicht,
Darum, kleine, moosge Hütte,
Meid ich so des Tages Licht.

Bin herauf zu dir gekommen,
Wo ich oft der Welt vergaß,
Gerne sinnend bei dem frommen
Roten Kerzenschimmer saß.

Weil ich drunten mich verliere
In dem Treiben bang und hohl,
Schließe dich, du kleine Türe,
Und mir werde wieder wohl!« –

So der Einsamkeit gegeben,
Hing ich alten Träumen nach,
Doch der Flamme ruhig Weben
Trost in meine Trauer sprach.

– Leise, wie durch Geisterhände,
Öffnet sich die Türe bald,
Und es tritt in meine Wände
Eine liebliche Gestalt.

Was ich lieb und was ich flehte,
Freundlich, schüchtern vor mir stand,
Ohne Sinn und ohne Rede
Hielt ich die geliebte Hand;

Fühle Locken bald und Wange
Sanft ans Antlitz mir gelegt,
Während sich im sel'gen Drange
Träne mir um Träne regt.

– Freundlich Bild im himmelblauen
Kleide mit dem Silbersaum!
Werde nimmer so dich schauen,
Und mich täuschte nur ein Traum.

Nachts

Horch! auf der Erde feuchtem Grund gelegen,
Arbeitet schwer die Nacht der Dämmerung entgegen,
Indessen dort, in blauer Luft gezogen,
Die Fäden leicht, unhörbar fließen
Und hin und wieder mit gestähltem Bogen
Die lustgen Sterne goldne Pfeile schießen.

Im Erdenschoß, im Hain und auf der Flur,
Wie wühlt es jetzo rings in der Natur
Von nimmersatter Kräfte Gärung!
Und welche Ruhe doch und welch ein Wohlbedacht!
Mir aber in geheimer Brust erwacht
Ein peinlich Widerspiel von Fülle und Entbehrung
Vor diesem Bild, so schweigend und so groß.
Mein Herz, wie gerne machtest du dich los!
Du schwankendes, dem jeder Halt gebricht,
Willst, kaum entflohn, zurück zu deinesgleichen.
Trägst du der Schönheit Götterstille nicht,
So beuge dich! denn hier ist kein Entweichen.

[Sagt, was wäre die Blüte . . .]

Sagt, was wäre die Blüte, die Frucht und die Krone von allem?
Heiterkeit; denn sie bleibt Leben der Götter zuletzt.

Aber auch Götter weiden sich gern an erhabenen
Schmerzen,
Und sie suchen sich stets wieder ein Ilium aus.

Rückblick

Zu einer Konfirmation

Bei jeder Wendung deiner Lebensbahn,
Auch wenn sie glückverheißend sich erweitert
Und du verlierst, um Größres zu gewinnen:
– Betroffen stehst du plötzlich still, den Blick
Gedankenvoll auf das Vergangne heftend;
Die Wehmut lehnt an deine Schulter sich
Und wiederholt in deine Seele dir,
Wie lieblich alles war, und daß es nun
Damit vorbei auf immer sei, auf immer!

Ja, liebes Kind, und dir sei unverhohlen:
Was vor dir liegt von künftgem Jugendglück,
Die Spanne mißt es einer Mädchenhand.
Doch also ward des Lebens Ordnung uns
Gesetzt von Gott; den schreckt sie nimmermehr,
Der einmal recht in seinem Geist gefaßt,
Was unser Dasein soll. Du freue dich
Gehabter Freude; andre Freuden folgen,
Den Ernst begleitend; dieser aber sei
Der Kern und sei die Mitte deines Glücks!

[Schönes Gemüt]

Wieviel Herrliches auch die Natur, wie Großes die edle
Kunst auch schaffe, was geht über das schöne Gemüt,

Welches die Tiefen des Lebens erkannt, viel Leides erfahren
Und den heiteren Blick doch in die Welt noch behielt? –
Ob dem dunkelen Quell, der geheimnisvoll in dem Abgrund
Schauert und rauscht, wie hold lächelt die Rose mich an!

[In Autographenalben]

Mein Wappen ist nicht adelig,
Mein Leben nicht untadelig,
Und was da wert sei mein Gedicht,
Fürwahr, das weiß ich selber nicht.

[Mit einem Teller wilder Kastanien]

Mir ein liebes Schaugerichte
Sind die unschmackhaften Früchte;
Zeigen mir die Prachtgehänge
Heimatlicher Schattengänge,
Da wir in den Knabenzeiten
Sie auf lange Schnüre reihten,
Um den ganzen Leib sie hingen
Und als wilde Menschen gingen,
Oder sie auch wohl im scharfen
Krieg uns an die Köpfe warfen. –
Trüg ich, ach, nur eine Weile
Noch am Schädel solche Beule,
Aber mit der ganzen Wonne
Jener Ludwigsburger Sonne!

An Gretchen

1868

[Mit der Abbildung eines sogenannten ewigen Kalenders]

Dieses ist mein permanenter
Oder ewiger Kalender,
Den ich heute lang beschaut
Und mich sehr daran erbaut.
Kunstreich ausgedachter Weise
Zeiget er der Monden Kreise,
Sonnenauf- und Untergänge,
Dazu Nacht- und Tageslänge.
Und bei jener goldnen Zehn
Blieb ich lang mit hundert Fragen
An die Zukunft stille stehn;
Doch am Ende konnt ich mir
Selber nur dies *eine* sagen:
Wie ein Pfeil entfleucht die Zeit,
Immer wechselt Lust und Leid,
Liebe währt in Ewigkeit.

Zeittafel

1804 8. September: Eduard Friedrich Mörike wird als siebtes Kind des Stadt- und Amtsarztes Karl Friedrich Mörike und seiner Frau Charlotte Dorothea, geb. Beyer, in Ludwigsburg geboren.

1811–17 Besuch der Ludwigsburger Lateinschule. Beginn der freundschaftlichen Beziehungen zur Cousine Clärchen Neuffer.

1817 22. September: Tod des Vaters. Eduard Mörike wird von seinem Onkel, dem späteren Obertribunalpräsidenten Eberhard Friedrich Georgii in Stuttgart aufgenommen und besucht ein Jahr lang das Gymnasium illustre in Stuttgart.

1818 27. November: Eintritt in das Niedere theologische Seminar in Urach. Beginn der Freundschaft mit Wilhelm Hartlaub und Johannes Mährlen.

1821 Erste Kontakte mit Wilhelm Waiblinger.

1822 28. November: Beginn des Studiums der Theologie am Tübinger Stift.

1823 Während der Osterferien in Ludwigsburg Begegnung mit Maria Meyer, der »Peregrina« der Gedichte, der »Elisabeth« im *Maler Nolten.* Freundschaftsbündnis mit Wilhelm Waiblinger und Ludwig Bauer. Begegnungen mit Hölderlin.

1824 Gesundheitlicher Zusammenbruch. Rückkehr zur Familie nach Stuttgart. 19. August: plötzlicher Tod des Bruders August. Ende Oktober wieder in Tübingen.

1826 17.–19. Oktober: Theologisches Abschlußexamen. Mit der Übernahme des Vikariats in Oberboihingen im Dezember beginnt eine fast achtjährige Vikariatszeit. *Der letzte König von Orplid* beendet.

1827 31. März: Tod der Mörike eng verbundenen Schwester Luise. Dezember: Unterbrechung der »Vikariatsknechtschaft« und Beginn eines mehrmonatigen Urlaubs.

1828 Vergebliche Versuche, irgendwo als freier Schriftsteller Fuß zu fassen. Aufenthalt hauptsächlich in Scheer an der Donau bei seinem Bruder Karl, der dort Amtmann ist.

1829 Rückkehr in den Vikariatsdienst. Februar in Pflummern bei Riedlingen, im Mai als Pfarrverweser nach Plattenhardt auf den Fildern. Beginn der Liebe zu Luise Rau. 14. August: Verlobung. Dezember: Versetzung nach Owen.

1830 Beendigung des *Maler Nolten.*

1831 Pfarrverweser in Eltingen bei Leonberg.

1832 Pfarrverweser in Ochsenwang. *Maler Nolten* erscheint bei Schweizerbart in Stuttgart.

1833 Herbst: Das Verlöbnis mit Luise Rau wird von ihr gelöst. Pfarrverweser in Weilheim (Teck).

1834 Pfarrverweser in Owen und Ötlingen. Ernennung zum Pfarrer in Cleversulzbach. 3. Juli: Übersiedlung mit Mutter und Schwester Clara. 3. August: Investitur. *Miß Jenny Harrower* (später *Lucie Gelmeroth*) in der *Urania* veröffentlicht.

1836 Die Novelle *Der Schatz* im *Jahrbuch schwäbischer Dichter und Novellisten.*

1837 Beginn der Freundschaft mit Hermann Kurz. Beziehungen zu Justinus Kerner und David Friedrich Strauß.

1838 Erste Ausgabe der *Gedichte* bei Cotta. Längerer Aufenthalt in Stuttgart.

1839 *Iris. Eine Sammlung erzählender und dramatischer Dichtungen* (Der Schatz, Die Regenbrüder, Der letzte König von Orplid, Lucie Gelmeroth, Der Bauer und sein Sohn) bei Schweizerbart. 20. Mai: Erstaufführung der *Regenbrüder.*

1840 Reise an den Bodensee mit dem Bruder Louis. Übersetzungen: *Classische Blumenlese.*

1841 26. April: Tod der Mutter.

1843 August/September: Pensionierung auf eigenen Wunsch. Mörike zieht zusammen mit der Schwester

Clara für ein halbes Jahr zu Pfarrer Hartlaub nach Wermutshausen.

1844 Übersiedlung nach Schwäbisch Hall und am 1. November nach Bad Mergentheim.

1845 Mörike zieht in das Haus des Oberstleutnant von Speeth. Bekanntschaft mit dessen Tochter Margarethe.

1846 *Idylle vom Bodensee* bei Schweizerbart.

1847 Mörike erhält für die *Idylle* den Tiedge-Preis.

1848 Zweite, vermehrte Auflage der *Gedichte.* Zerwürfnis mit Hermann Kurz.

1850 Besuch bei dem Bruder Louis, der als Verwalter des Pürkelguts der Thurn & Taxis bei Regensburg tätig ist.

1851 Nach mehreren vergeblichen Bemühungen um eine stärkere wirtschaftliche Sicherung übernimmt Mörike im Oktober Literaturunterricht am Stuttgarter Katharinenstift (»Frauenzimmerlektionen«). 25. November: Heirat mit Margarethe Speeth. Übersiedlung nach Stuttgart.

1852 5. August: Ernennung zum Dr. phil. h. c. durch die Universität Tübingen.

1853 Mai: *Das Stuttgarter Hutzelmännlein. Die Hand der Jezerte* im *Kunst- und Unterhaltungsblatt.*

1854 Freundschaft mit Paul Heyse.

1855 26. April: Geburt der Tochter Fanny. *Mozart auf der Reise nach Prag* in Cottas *Morgenblatt*, im Herbst als Ausgabe bei Cotta. Besuch von Theodor Storm. Dezember: *Theokritos, Bion und Moschos* (Übersetzungen) zusammen mit Friedrich Notter.

1856 Dritte, vermehrte Auflage der *Gedichte. – Vier Erzählungen* (Der Schatz, Lucie Gelmeroth, Der Bauer und sein Sohn, Die Hand der Jezerte) bei Schweizerbart.

1857 28. Januar: Geburt der Tochter Marie. Besuch von Friedrich Hebbel.

1859 Beginn der Umarbeitung des *Maler Nolten.*

1862 Mörike wird vom bayerischen König in das »Kollegium des Maximiliansordens für Kunst und Wissenschaft« berufen.
1863 Mit Marie und der Schwester Clara in Bebenhausen.
1864 Mörike erhält das »Ritterkreuz des Württembergischen Friedrichsordens«. *Anakreon und die sogenannten Anakreontischen Lieder.* Freundschaft mit Moritz von Schwind.
1865 Besuch von Ivan S. Turgenjew.
1866 Beendigung der Lehrtätigkeit am Katharinenstift.
1867 Vierte, vermehrte Auflage der *Gedichte.* Längerer Aufenthalt mit Margarethe Mörike in Lorch im Remstal.
1868 Rückkehr nach Stuttgart.
1870 23. Januar: Übersiedlung nach Nürtingen. Aufenthalt in Bebenhausen.
1871 10. August: Rückkehr nach Stuttgart. Wiederaufnahme der Beziehungen zu Hermann Kurz. Ehekrisen. Mörike lebt zeitweise getrennt von Margarethe.
1872 Fünfte, unveränderte Auflage der *Gedichte.*
1874 Juni/Juli: in Bebenhausen. Herbst: Letzter Besuch bei Hartlaub in Stöckenburg bei Vellberg.
1875 Krankheit. Ende Mai: Versöhnung mit Margarethe.
4. Juni: Mörikes Tod.
6. Juni: Bestattung auf dem Pragfriedhof in Stuttgart.

Literaturhinweise

Textausgaben

Sämtliche Werke. Briefe. Hrsg. von Gerhart Baumann. 3 Bde. Stuttgart: Cotta, 1959–61.
Sämtliche Werke. Hrsg. von Herbert G. Göpfert. München: Hanser, 1964; 5., neu durchges. Aufl. 1976.
Sämtliche Werke. Mit einem Nachw. von Benno von Wiese und einer Bibliogr. von Helga Unger. 2 Bde. München: Winkler, 1968–70.
Werke. Ausw. und Vorw. von Albrecht Goes. Hamburg: Hoffmann und Campe, 3. Aufl. 1968.
Gedichte und Erzählungen. Hrsg. und Nachw. von Werner Zemp. Zürich: Manesse, 1945.
Briefe. Ausw. und Einl. von Werner Zemp. Zürich: Manesse, 1949.
Briefe an seine Braut Luise Rau. Hrsg. von Friedhelm Kemp. München: Kösel, 1965.
Theodor Storm – Eduard Mörike. Theodor Storm – Margarethe Mörike. Briefwechsel. Kritische Ausgabe. In Verb. mit der Theodor-Storm-Gesellschaft hrsg. von Hildburg und Werner Kohlschmidt. Berlin: Schmidt, 1978.
Ludwig Amandus Bauer. Briefe an Eduard Mörike. Hrsg. von Bernhard Zeller und Hans-Ulrich Simon. Marbach: Klett, 1976. (In Kommission.)
Werke und Briefe. Historisch-kritische Gesamtausgabe. 18 Bde. Hrsg. von Hans-Henrik Krummacher, Herbert Meyer und Bernhard Zeller. Stuttgart: Klett, 1967 ff. [Bisher erschienen: Bd.3–5. Maler Nolten. 1967–71; Bd. 8, T. 1 und T. 3. Übersetzungen. 1976/81. Bd. 10. Briefe 1811–1828. 1982.]

Doerksen, Victor Gerard (Hrsg.): Eduard Mörike [Essays]. Darmstadt: Wissenschaftliche Buchgesellschaft, 1975. (Wege der Forschung 446.)

Goes, Albrecht: Mörike. Stuttgart: Cotta, 1954. (Reihe der Deutschen 2.)

Heydebrand, Renate von: Eduard Mörikes Gedichtwerk. Beschreibung und Deutung der Formenvielfalt und ihrer Entwicklung. Stuttgart: Metzler, 1972.

Holthusen, Hans Egon: Eduard Mörike in Selbstzeugnissen und Bilddokumenten. Reinbek: Rowohlt, 1975. (Rowohlts Monographien 175.)

Koschlig, Manfred: Mörike in seiner Welt. Stuttgart: Verlag Solitude, 1954. (Veröffentlichung der Deutschen Schillergesellschaft 20.)

Krummacher, Hans-Henrik: Mitteilungen zur Chronologie und Textgeschichte von Mörikes Gedichten. In: Jahrbuch der Deutschen Schillergesellschaft 6 (1962) S. 253–310.

Krummacher, Hans-Henrik: Zu Mörikes Gedichten. Ausgaben und Überlieferung. In: Jahrbuch der Deutschen Schillergesellschaft 5 (1961) S. 267–344.

Meyer, Herbert: Eduard Mörike, 3., verb. und erg. Aufl. Stuttgart: Metzler, 1969. (Sammlung Metzler 8.)

Prawer, Siegbert Salomon: Mörike und seine Leser. Versuch einer Wirkungsgeschichte. Stuttgart: Klett, 1960. (Veröffentlichung der Deutschen Schillergesellschaft 23.)

Storz, Gerhard: Eduard Mörike. Stuttgart: Klett, 1967.

Unger, Helga: Mörike-Kommentar zu sämtlichen Werken. München: Winkler,1970.

Wiese, Benno von: Eduard Mörike. Tübingen/Stuttgart: Wunderlich, 1950.

Zeller, Bernhard (Hrsg.) [u. a.]: Eduard Mörike. 1804. 1875. 1975. Gedenkausstellung zum 100. Todestag im Schiller-Nationalmuseum Marbach a. N. Texte und Dokumente. München: Kösel, 1975. (In Kommission.)

Nachwort

Als Sohn eines Arztes und als das siebte von dreizehn Kindern wurde Eduard Mörike am 8. September 1804 in Ludwigsburg geboren. In der damals schon vom württembergischen Hofe verlassenen und öde gewordenen Residenzstadt mit ihren weiträumigen Schloßanlagen, den großen Alleen und Plätzen hat er seine Jugendjahre verbracht und dort auch die Lateinschule besucht, die vor ihm Friedrich Schiller und Justinus Kerner, mit ihm und nach ihm Friedrich Theodor Vischer und David Friedrich Strauß zu ihren Schülern zählte. Eine schwere Erkrankung und dann der frühe Tod des Vaters, eines in seinem Berufe unermüdlich tätigen, auch philosophisch ungewöhnlich gebildeten Mannes, veränderte über Nacht das Schicksal des jungen Mörike. Im Alter von 13 Jahren mußte er seine Heimatstadt und die engere Familie verlassen, wurde für ein Jahr von seinem Onkel Eberhard Friedrich Georgii, einem in Württemberg hochangesehenen Manne, aufgenommen, besuchte das Gymnasium illustre in Stuttgart und dann als Stipendiat vier Jahre lang, von seinem 14. bis 18. Lebensjahr, das evangelische Niedere theologische Seminar in Urach.
Erste Freundschaften, die für das ganze Leben Dauer hatten, entstanden in diesen Internatsjahren – mit Wilhelm Hartlaub vor allem und mit Johannes Mährlen –, aber auch mit dem ungewöhnlich begabten, frühreifen und sich genialisch gebärdenden jungen Wilhelm Waiblinger. Mit sicherem Instinkt hat Waiblinger, der kein Seminarist war, sondern nach kurzem Aufenthalt in Urach seine letzte Schulzeit in Stuttgart verbrachte, als einer der ersten die starke poetische Begabung Mörikes erkannt, noch ehe dafür die eigentlichen Beweise erbracht waren, und mit ihm einen für beide höchst aufschlußreichen literarischen Briefwechsel geführt.
Was Urach für Mörike bedeutet hat, fand fünf Jahre nach seinem Abgang vom Seminar Ausdruck in den klassi-

schen Stanzen des großen Gedichts *Besuch in Urach*. Erinnerung verbindet sich hier mit dem erneuerten Erleben der Landschaft: des Tales, der Berge und Wälder.
Der traditionelle, seit Jahrhunderten gleiche Bildungsweg des württembergischen Theologen führte vom Seminar in das Tübinger Stift. Auch für Mörike ist er selbstverständlich. Im Herbst 1822 wird er Stiftler und verbringt somit die vier Universitätsjahre in einer engen Wohn-, Studien- und Lebensgemeinschaft mit fest geordnetem Reglement. Innerhalb seiner Promotion, d. h. seines Jahrgangs, zeichnet sich Mörike durch Fleiß und Studieneifer nicht sonderlich aus. Seine intellektuellen Leistungen bleiben auch im Stift mittelmäßig, und weder den vorgeschriebenen philosophischen noch den theologischen Studien scheint er wesentliches Interesse abgewonnen zu haben. Wissenschaftlichen Problemen nachzusinnen ist nicht sein Fall. Daß sich die theologische Fakultät der Tübinger Universität zu jener Zeit in einer vielfach beklagten Krise befand, mag zu dieser Haltung beigetragen haben. Aber auch die politischen Zustände jener Zeit, das Erstarken restaurativer Mächte, mit strenger Überwachung der Universitäten, mit Zensur, Prozessen und Verfolgung konnten ihn nur am Rande berühren. Er war kein Freund lautstarker burschenschaftlicher Aktionen, aber Mittelpunkt geselliger, oft auch schwärmerischer Freundeskreise und lebte in einem sehr persönlichen, selbstgeschaffenen Reich der Poesie, der Phantasie und des Spiels.
Damals lernte er Friedrich Hölderlin kennen, der in geistiger Umnachtung im kleinen Zimmer am Neckar nahe dem Stift dahindämmerte. Zusammen mit Waiblinger besuchte Mörike den Dichter, und an manchen Nachmittagen geleiteten sie ihn hinauf in die Gärten am Österberg. In der Erzählung *Im Presselschen Gartenhaus* hat Hermann Hesse den Zauber dieses merkwürdigen Zusammentreffens eindringlich beschrieben.
Während der Osterferien 1823 begegnete Mörike in einem Ludwigsburger Gasthof der hier als Kellnerin arbeitenden

Maria Meyer, einem Mädchen, ungewöhnlich in seiner Schönheit und Bildung, nach Verhalten und Herkunft. Die Fremde faszinierte ihn wie die Freunde und entfachte die Glut einer leidenschaftlichen, aufwühlenden Liebe, die ihn im Innersten ergriff und verstörte.
Ende des Jahres verschwand das Mädchen so plötzlich, wie es gekommen, tauchte in Heidelberg auf und erschien im Sommer 1824 überraschend in Tübingen. Mörike entzog sich ihrem Wunsche nach erneuter Begegnung, flüchtete zur Mutter und zu der älteren, tief religiösen Schwester Luise, die starken Einfluß auf ihn hatte und ihn beschwor, dieser Liebe, die sie als schwere Bedrohung empfand, zu entsagen. Mörike hat später alle Spuren, die an dieses nie ganz bewältigte Erlebnis rührten, verwischt und biographischer Neugier entzogen. Unvergänglichkeit aber gewann die verhängnisvoll-schmerzliche Liebe zu der schönen, heimatlosen Vagantin im Gedicht. Doch weder die Peregrina der Gedichte noch die Elisabeth im *Maler Nolten* können mit der wirklichen Gestalt, die sich dahinter verbirgt, einfach identifiziert werden. Mörikes gesamte Dichtung beruht auf dem eigenen Erleben, doch die selbsterfahrene Wirklichkeit verwandelte und verschlüsselte sich in der poetischen Erscheinung.
Die seelische Krise, verschärft durch die schwere Erschütterung, die der plötzliche Tod des jungen, besonders geliebten Bruders August im Sommer 1824 auslöste, wurde nur langsam überwunden. Doch im Winter darauf entsteht, gleichsam als Bekenntnis zu neuem Tag und neuer Tat, das Gedicht *An einem Wintermorgen, vor Sonnenaufgang*, gelingt dem Zwanzigjährigen das vollkommene sprachliche Kunstwerk. Auf Vorschlag von Hermann Kurz wurden diese Verse später dem ersten Gedichtband vorangestellt, einer Ouvertüre gleichend, wie sie großartiger nicht gedacht werden kann.
Der Rhythmus und die sprachliche Ausdruckskraft der Verse erinnern an Goethe, unter dessen Eindruck Mörike seit seiner Uracher Seminaristenzeit stand, aber auch an

jenen Goethe, der fast zu derselben Zeit die *Trilogie der Leidenschaft* geschrieben hat. Erstes Getroffenwerden vom Blitze des Eros dort, letzter Ansturm hier: Maria Meyer und Ulrike von Levetzow – so ferne sie sich im Leben standen, sie gewinnen Verwandtschaft und Nähe im Gedicht.

Hilfe in jener Zeit seelischer Bedrückung bedeutete die Freundschaft mit Ludwig Bauer. Während das Bündnis mit dem immer anmaßender und exzentrischer werdenden Waiblinger keinen Bestand hatte, zwar nicht schroff zerbrach, aber sich zu einem distanzierten Verhalten wandelte, gewann die Beziehung zu dem begabten, phantasievollen und warmherzigen fränkischen Pfarrersohn immer größere Intensität. Gemeinsam erdachten und erfanden die beiden Freunde die märchenhafte Inselwelt Orplid, träumten, dichteten und lebten in ihr. Orplid wurde zum Sinnbild für die Sehnsucht nach Weite, Geheimnis und Abenteuer, nach paradiesischer Ursprünglichkeit. Beide haben Orplid-Dramen geschrieben, Mörike damals sein Spiel *Der letzte König von Orplid*, ein kleines Dramolett reich an poetischem Zauber und voll Melodik, das dann dem *Maler Nolten* als »phantasmagorisches Zwischenspiel« eingefügt wurde. Auch einige der schönsten Gedichte Mörikes gehören in den Orplid-Kreis.

1826 endet das Studium. Die Freunde zerstreuen sich. Auch Mörike wird der Familienerwartung gemäß ein schwäbischer Pfarrvikar, Theologe also in unselbständiger, vom jeweiligen Pfarrherrn abhängigen Stellung. Doch sich seiner literarischen Begabung immer bewußter werdend, empfindet er sehr bald die praktische Ausübung seines Berufes in den kleinen Bauerndörfern Württembergs als »Vikariatsknechtschaft« und versucht mit allen Mitteln, dem Pfarramt zu entrinnen. »Alles, nur kein Geistlicher«, schreibt er dem ähnlich gestimmten Freunde Mährlen. Aber ein Ausbruchsversuch im Jahre 1828, der nach einigen kleinen Reisen und einem längeren Aufenthalt bei seinem Bruder Karl in Oberschwaben schließlich in die Redaktionsstube einer »Damenzeitung« führt, zerstört sehr bald die Illusionen vom freien Schriftstellertum. Mörike, nie ein Mann resoluter Aktivität und Entschlußkraft, resigniert, kehrt reumütig in den erlernten Beruf zurück und zieht in den folgenden Jahren als Vikar und Amtsverweser von einem Pfarrdorf und Pfarrhaus zum andern.

Auf einer dieser Stellen, in Plattenhardt, einer ländlichen Gemeinde auf den Fildern nahe bei Stuttgart, lernt er Luise Rau, die Tochter des früh verstorbenen Ortspfarrers kennen, ein schlichtes, freundliches Mädchen, mit dem er sich verlobt. Den Briefen an die Braut, Liebesbriefen voll Vertrauen, Anmut und Poesie, fügt der liebende, seine Welt verklärende Dichter auf losen Blättern Gedichte bei: Naturgedichte, Liebesgedichte, Balladen in volksliedhaften Tönen, von denen viele Teil des *Maler Nolten* geworden sind. Aber als Mörike endlich nach Jahren in Cleversulzbach eine feste Pfarrstelle zuerkannt wird, zieht er mit Mutter und Schwester Clara ins Pfarrhaus ein. Das Verlöbnis mit der »geliebten Seele« ist auf ihren Wunsch längst gelöst.

Sechshundert Köpfe zählte das abgelegene, von Feldern, Wiesen und Weinbergen umgebene Dorf im fränkischen Unterland, in dem Mörike nun als Pfarrherr amtierte. Es sind glückliche Jahre in Verborgenheit und friedlicher Stille, eine Zeit, in der die biedermeierliche Idylle, wie sie *Der alte Turmhahn* als Wunschbild so unnachahmlich schildert, für einen Augenblick Wirklichkeit geworden scheint. Aber die Selbstgenügsamkeit der pfarrherrlichen Existenz forderte ihren Preis. Der Dorfpfarrer ist kein Pastor üblicher Art, er ist ein Dichter, verletzlich, von Ängsten und Lebensfurcht bedroht, wechselnd in seinen Stimmungen, ein grämlicher Hypochonder zuweilen, aber auch voll Witz und liebenswürdigem Humor, ausgelassen und leicht erregbar und dann wieder in Depressionen verstrickt, belastet zudem mit einer sehr labilen Gesundheit und ohne jede Begabung für das, was praktische Lebenstüchtigkeit heißt. Schwere Erschütterung verursacht der

Tod der Mutter. Neben der Mutter Schillers wird sie auf dem Dorffriedhof bestattet, und Mörike meißelt die Namen der beiden in alte Steinkreuze.
1843 erzwingen Krankheit und anhaltende Schwäche, die nicht nur physischen Ursprungs sind, die vorzeitige Pensionierung. Mörike tritt 39jährig in den Ruhestand, verläßt Cleversulzbach, findet zunächst bei dem Freunde Hartlaub in Wermutshausen, dann in Schwäbisch Hall ein erstes Unterkommen und läßt sich schließlich in Mergentheim nieder, dessen Bäder ihm bekömmlich sind. Clara, die jüngste Schwester, führt dem Bruder mit gebotener Sparsamkeit den einfachen Hausstand. Dieses Leben ohne Amt und Zwang, mit der Muße zu poetischen Geschäften, zu kleinen Spielereien und mancherlei sammelnder Tätigkeit ist Mörike wesensgemäß. Er bearbeitet eine Ausgabe der Gedichte Waiblingers, schreibt eigene Gedichte und *Die Idylle vom Bodensee*, eine heitere, kleine Versgeschichte in Hexametern, die er dem württembergischen Kronprinzen Karl widmet.
Die Verhältnisse ändern sich, als in Mörike eine neue Liebe erwacht und er sich entschließt, Margarethe Speeth, die Tochter seines Mergentheimer Hauswirts und Freundin der Schwester, zu heiraten. Doch nun muß auch ein neuer Anlauf zu einem tätigeren und wirtschaftlich abgesicherteren Leben genommen werden. Mörike zieht, nachdem mancherlei Vorhaben fehlgeschlagen waren, im Herbst 1851 nach Stuttgart und übernimmt als »Pfleger für weibliche Jugend« einen begrenzten Lehrauftrag für Literatur im Katharinenstift, einer höheren Mädchenschule der Residenz. Einige Wochen später wird die Ehe mit Gretchen, einer gläubigen Katholikin, geschlossen; die Schwester Clara verbleibt innerhalb der Hausgemeinschaft.
Mit nur kurzen Unterbrechungen verbringt Mörike sein ganzes weiteres Leben, nahezu ein Vierteljahrhundert, in Stuttgart. Der neue Anfang führt zu einem Aufschwung des literarischen Schaffens. Gedichte entstehen, Übersetzungen werden veröffentlicht, und in kurzer Zeit erschei-

nen die drei Erzählungen *Das Stuttgarter Hutzelmännlein*, *Die Hand der Jezerte* und dann mit *Mozart auf der Reise nach Prag* eine der schönsten Novellen deutscher Sprache und zugleich eines der persönlichsten Werke des Dichters. Die Nähe zu Mozart, zu seinen heiteren und seinen dunklen Klängen, ist für ihn besonders charakteristisch und wesensgemäß.

In seiner Weise nimmt Mörike am literarischen Leben in Stuttgart teil. Er hält »Damenvorlesungen« und betätigt sich als Übersetzer, literarischer Berater und Herausgeber, erfährt mancherlei Ehrungen, erhält Orden und bekommt Besuche berühmter Kollegen. Auch zwei kleine Töchter stellen sich ein, Fanny und Marie, vom Vater zärtlich geliebt und bedichtet. Aber bald wird ihm dieser Stuttgarter Betrieb zu laut und lästig. Die innere Unruhe wächst, wie es das ständige Wechseln der Wohnungen innerhalb der Stadt beweist.

Die Sehnsucht nach »Verborgenheit«, früh schon Devise des Dichters, der sich so gerne hinter Masken versteckt und in andere Rollen schlüpft, führt mit den Jahren immer mehr in Distanz und Zurückgezogenheit. Er macht sich manchmal auf und davon, verschwindet nach Bebenhausen, nach Nürtingen oder Lorch. Die Hausgemeinschaft mit Frau und Schwester hatte, was fast unvermeidlich war, ihre eigenen Schwierigkeiten, die Mörike, der Entscheidungen möglichst auswich, nicht zu überwinden vermochte, die aber seine Ehe schwer belasteten. Schließlich kommt es zu einstweiliger Trennung von Gretchen. Mörike, die Öffentlichkeit fliehend, verkapselt sich immer mehr, versucht aber mit allen Kräften die Neubearbeitung des *Maler Nolten* zu Ende zu bringen. Dies gelingt für den ersten Teil, als Ganzes bleibt die lang geplante Neufassung Fragment.

Im Frühjahr 1875 erkrankt Mörike schwer, leidet an Brustschmerzen und einer Unterleibsentzündung. Gretchen kommt zurück. Frau und Schwester teilen sich in die Pflege des Kranken. Aber die Lebenskräfte sind erschöpft.

Am 4. Juni 1875, im Alter von 71 Jahren, ist er gestorben, zwei Tage später wird er auf dem Pragfriedhof in Stuttgart beigesetzt.

Im Jahre von Mörikes Geburt wurde Schillers *Wilhelm Tell* uraufgeführt, Goethe zum »Wirklichen Geheimen Rat« ernannt und Napoleon in Paris zum Kaiser gekrönt. Am Tage, da ihm Friedrich Theodor Vischer die Trauerrede hielt, kam in Lübeck Thomas Mann zur Welt, und sechs Wochen später wurde Rainer Maria Rilke geboren. Zwischen dem endgültigen Ende des Heiligen Römischen Reiches Deutscher Nation, besiegelt 1806, und dem neuen deutschen Kaiserreich unter Preußens Vorherrschaft, proklamiert 1871, einer Epoche gescheiterter revolutionärer Erhebungen, aber geistiger wie technischer Leistungen, die die Welt von Grund auf verändern sollten, dehnt sich die ihm bemessene Lebensfrist. Den großen öffentlichen Ereignissen und Taten des Jahrhunderts stand er fern, er hat die Zeitläufte beobachtet, aber nie als aktiv Handelnder daran teilgenommen. Die Realität seines Lebens war die Innenwelt seiner Poesie mit ihren Träumen und Phantasien; aus ihr erwuchs seine Dichtung. Aber auch diese Dichtung, mochte sie in ihrer Intensität, ihrer Tiefe und Weite in hartem Kontrast zu der äußeren Wirklichkeit seines Lebens stehen, gehört zu den Ereignissen des Jahrhunderts und ist verflochten in die historischen und gesellschaftlichen Bedingungen ihrer Zeit.

Mörikes lyrische Dichtung wurzelt in der Literatur der deutschen Klassik, vor allem im Werke Goethes, und hat die Traditionen der Romantik mit dem ihr eigenen Stimmungsgehalt in sich aufgenommen. Aber seine Verskunst verharrte nicht in den Bahnen der Überlieferung. Sie entwickelte präzisere Formen, größere Plastizität und eine stärkere Objektivierung. Mochten Uhland und Lenau, Herwegh oder Freiligrath mit ihren Gedichten zu ihrer Zeit mehr gehört und gelesen worden sein, vielleicht auch mehr den Aktualitäten des Tages entsprochen haben, den Weg in die Zukunft erschloß nicht ihre Dichtung, sondern die

Lyrik Mörikes. Er hat dem Gedicht neue Ausdrucksmöglichkeiten gewonnen und eine Verfeinerung der lyrischen Sprache erreicht. Schon Gundolf hat auf die Verwandtschaft mit Baudelaire, andere haben auf die Nähe zu Verlaine und Rimbaud sowie auf den Symbolismus des ausgehenden Jahrhunderts hingewiesen.

Erst im Alter von 34 Jahren, während seiner Cleversulzbacher Zeit, veröffentlichte Mörike, der lange seine eigentliche poetische Begabung verkannt hatte, sich für einen Dramatiker hielt und um Trauerspiele mühte, sein erstes Gedichtbuch. Dieser 1838 erschienene Band enthält formal sehr verschiedenartige Gedichte aus einem Zeitraum von eineinhalb Jahrzehnten. Einige wenige Gedichte dieser Sammlung waren schon in Tübingen entstanden; Zeiten besonders reicher Produktivität waren die Jahre 1828, 1837 und 1838. Seine publizierten Gedichte hat Mörike immer wieder überarbeitet. Obwohl zwischen der ersten und der zweiten Auflage nahezu 10 Jahre vergingen, so zögernd und verhalten war der Absatz, schrieb Mörike bereits 1841 in einem Brief an Hartlaub: »Ich habe neulich angefangen, meine Gedichte für den Fall einer neuen Ausgabe durchzugehen und mit aller Diskretion für das Gute, das der ursprüngliche Entwurf im allgemeinen hat, verschiedene Verbesserungen vorzunehmen.« Die Auflage erschien 1848, weitere folgten 1856 und schließlich 1867. Jede ist verändert, sei es durch Verbesserung einzelner, längst bekannter, sei es durch die Aufnahme neuer oder das Ausscheiden älterer Gedichte, die seiner kritischen Prüfung nicht mehr standhielten.

In diesen Veränderungen und der speziellen Überarbeitung einzelner Gedichte ist Mörikes Entwicklung als Lyriker ablesbar. Deutlich wird seit dem Ende der dreißiger Jahre, zumal der Zeit, da er sich mit Übersetzungen aus dem Griechischen und Lateinischen beschäftigte, der Einfluß antiker Formen, elegischer Versmaße vor allem, die eine Wendung zu größerer Sachlichkeit und eine Zuneigung zum Ding-Gedicht zur Folge hatten. Gedichte wie *Die*

schöne Buche, *Auf eine Lampe* oder *Inschrift auf eine Uhr* seien als Beispiele genannt.
In den Gedichtsammlungen ist die Vielfalt der Formen erstaunlich, bewundernswert aber auch die Souveränität und Sicherheit, mit der Mörike schon in jungen Jahren gleichsam mühelos die verschiedenen Möglichkeiten der literarischen Formen meistert, ja überlegen mit ihnen spielt. Freie Rhythmen stehen neben strengen Fügungen, wechseln mit strophischen Reimdichtungen, mit Sonetten, Stanzen oder Distichen. Selbst Flüchtigkeiten werden als bewußte Stilmittel eingesetzt, und mit liebenswürdigem Charme im *Märchen vom sichern Mann* die griechischen Hexameter in die deutsche Sprache überführt. Rund ein Drittel der Auflage von 1867 folgt antiken, ein zweites Drittel freien Formen.
In keiner der verschiedenen Auflagen findet sich eine klare, durch formale oder inhaltliche Gesichtspunkte bestimmte Ordnung der Gedichte. Mörike hat wohl einmal den Versuch dazu unternommen, dann aber, wie es scheint, aufgegeben, denn schon in einem Brief an Mährlen vom Mai 1837 erklärt er einmal: »besonders aber ist es ungezwungener und der Mannigfaltigkeit wegen sogar angenehmer wenn Alles durcheinander steht mit Ausnahme der Epigramme und des eigentlich Lustigen [...].« Und zwanzig Jahre später schreibt er zur dritten Auflage an Cotta: »Was die Reihenfolge der Gedichte anbelangt, so habe ich, wie früher eine freiere Anordnung der systematischen vorgezogen [...].« Auch die hier vorgelegte Auswahl, die einen Großteil der Gedichte der letzten von Mörike besorgten Auflage enthält, folgt diesem Prinzip und versucht sich nicht an einer nachträglichen Systematisierung.
Durch die Sicherheit seines metrischen Empfindens wirken nicht wenige der vollkommensten Gedichte einfach, leicht, gleichsam selbstverständlich in Rhythmus und Wortwahl. Aber Mörike war kein naiver Dichter; hinter der Einfachheit steht ein sehr bewußter Kunstverstand, verbergen sich virtuoses Können und intensive Arbeit. Auch die Gedichte

in freien Rhythmen wie etwa *An eine Äolsharfe* oder *Im Frühling* sind mit großer Sorgfalt nach klaren Gesetzlichkeiten konzipiert und aufgebaut. Daneben finden sich Fälle, in denen das Gedicht einem genialen Einfall entsprang und gleichsam von selbst sich zum Ganzen entwickelte. Das bekannteste Beispiel dafür ist Mörikes eigener Bericht über die Entstehung der berühmten Ballade *Schön-Rohtraut.* Im Brief an Moritz von Schwind vom 18. Juli 1868 schreibt er: »Ich stieß einmal, es war in Cleversulzbach, zufällig in einem Wörterbuch auf den mir bis dahin unbekannten altdeutschen Frauennamen. Er leuchtete mich an als wie in einer Rosenglut, und mit ihm war auch schon die Königstochter da. Von dieser Vorstellung erwärmt, trat ich aus dem Zimmer zu ebener Erde in den Garten hinaus, ging einmal den breiten Weg bis zur hintersten Laube hinunter und hatte das Gedicht erfunden, fast gleichzeitig damit das Versmaß und die ersten Zeilen, worauf die Ausführung auch wie von selbst erfolgte.«
Mannigfach wie die Formen sind die Themen und Stoffe der Gedichte. Die Natur in der Vielfalt ihrer Erscheinungen begegnet sehr häufig: Die Dämmerung zwischen Nacht und Tag, aber auch die morgendliche Frühe sind beliebte Motive. Ihnen verwandt sind die Reise- und Wanderlieder, heiter, oft harmonisch behaglich im Ton, dazu kommen Balladen, Idyllen, Lieder im Volkston, dann Humoresken und Parodien, in denen sich wie im *Sichern Mann* Scherz und Ernst mischen. Wieder andere führen in Innenregionen des persönlich Erlebten, formen, deuten und verfremden zugleich das widerfahrene Schicksal. Der Zyklus der so modern anmutenden Peregrina-Gedichte gehört zu der Lyrik dieser Art.
Mörike reflektiert nicht in seinen Gedichten, er verzichtet auf eigene Erklärungen. Der Gehalt der Dichtung findet Entsprechung in der Form. Sie ist, so heißt es in einem Brief, »doch in ihrer tiefsten Bedeutung unzertrennlich vom Gehalt, ja in ihrem Ursprung fast eins mit demselben und durchaus geistiger, höchst zarter Natur [...].

Ein schöner Gedanke, ein schönes Gefühl kommt poetisch nur durch die schöne Form zur Erscheinung.«
Nicht wenig Gedichte Mörikes sind Gelegenheitsgedichte, entstammen also einem Bezirk der Übergänge, wo sich die ästhetischen Autonomien mit privaten unpoetischen Absichten berühren, wo die soziale Funktion des Gedichts im Vordergrund steht, es aber trotz seiner Zweckbezogenheit Kunstcharakter gewinnt.
Daß ein Zuviel an persönlichem Bezug, daß ein rein familiärer, privater Anlaß eine Einschränkung des poetischen Charakters bedeuten könne, dieser Gedanke schien Mörike fernzuliegen. Seine Gelegenheitsdichtung gehört daher, wie in neueren Untersuchungen mit Entschiedenheit betont wird, als ein legitimer Teil, der nicht abgewertet werden sollte, zum Gesamtwerk des Dichters. Gerade unter den oft sehr locker und wie zufällig gefügten Gedichten finden sich einzelne Kunstgebilde von hohem Rang.
Zu dem Unverwechselbaren, das Mörikes Gedichte auszeichnet, gehört ihre Musikalität. Vom »schwebenden Tanz seiner Sprache« wurde gesprochen, vom Klangleib seiner Dichtungen, deren Melodik in Worten, Tönen und Rhythmen ihren oft so betörenden Ausdruck findet. Nicht umsonst heißt eines der schönsten Gedichte *An eine Äolsharfe*, und nicht von ungefähr ist es, daß seine Lieder besonders oft vertont wurden. Von dem Bruder Karl sind Kompositionen bekannt, von den Freunden Ludwig Hetsch und Ernst Friedrich Kauffmann. Schumann, Robert Franz, Brahms und Othmar Schoeck haben seine Gedichte in Musik gesetzt. Bekannt und berühmt weit über die Welt hin wurden Mörikes Lieder vor allem aber dank ihrer kongenialen Vertonung durch Hugo Wolf. Sie haben Mörike zuerst Weltgeltung verschafft.
Mörike war, als er starb, kein populärer Schriftsteller, aber auch kein unbekannter. Gottfried Keller, der ihn einmal einen »Sohn des Horaz und einer feinen Schwäbin« genannt hat, schrieb damals: »Wenn sein Tod nun seine Werke nicht unter die Leute bringt, so ist ihnen nicht

zu helfen, nämlich den Leuten.« Dennoch dauerte es lange, bis er über den schwäbischen Umkreis und über die Runde der Kundigen hinaus zu wirken begann und Leser gewann.
In den Jahrzehnten, in denen sein Werk langsam Interesse, Beachtung und Bewunderung fand, er gleichsam für die Weltliteratur entdeckt wurde, haben sich aber auch die Interpreten seiner Dichtung und Gestalt bemächtigt und zuweilen sehr extreme Positionen bezogen. Das Idyllische wurde hervorgehoben und das Dämonische in ihm beschworen, »ein niedlicher Zwerg« war er dem einen, zu den Größten im Reiche der Dichtung zählten ihn andere.
»Doch in der Mitten liegt holdes Bescheiden«, hat Mörike selbst gesagt. Er ist den Freunden, die wie Strauß oder Vischer die Behandlung großer Themen forderten, ihm »derbere poetische Freß- und Verdauungsorgane« wünschten, nicht nachgekommen, blieb stets er selbst ohne Pathos und Sendungsbewußtsein. Er wußte um die Gefahren, die ihm, dem Schutzlosen mit seinen dünnen seelischen Häuten drohten und denen er sich in seiner Empfindlichkeit ausgeliefert sah. Nach Ausgewogenheit strebte er daher, nach dem Gleichgewicht in der Bewegung.
Des Geheimnisvollen, nicht zu Erklärenden bleibt genug. Das hat auch Isolde Kurz gespürt, als sie – ein junges Mädchen noch – Mörike in Stuttgart und zuletzt in Bebenhausen besuchte. Dem äußeren Eindruck nach, so schrieb sie, glich er einem schwäbischen Landpfarrer, aber dies schien nicht das eigentliche Gesicht zu sein, sondern nur eine leicht vorgebundene Maske, hinter der sich ein »feiner Griechenkopf versteckt hielt«. »Es war eine ruhige Heiterkeit um ihn bei großer Zartheit.«

Bernhard Zeller

Verzeichnis der Überschriften und Gedichtanfänge

Inhalt

(E = Erstdruck)